D1253477

LES CARNETS d'un voyageur INFATIGABLE

Édition: Mylène Des Cheneaux
Coordination éditoriale: Ariane Caron-Lacoste
Révision linguistique: François Bouchard
Correction d'épreuves: Sylvie Gourde
Design de couverture: Johanna Reynaud
Maquette: Chantal Boyer
Mise en page: Louise Durocher

Catalogage avant publication de Bibliothèque et Archives nationales du Québec et Bibliothèque et Archives Canada

Proulx, Gilles, 1940-
Les carnets d'un voyageur infatigable
ISBN 978-2-89761-027-2
1. Proulx, Gilles, 1940- - Voyages. I. Titre.
I. Titre.
G465.P763 2017 910.4 C2017-941469-0

Les éditions du Journal
Groupe Ville-Marie Littérature inc.*
Une société de Québecor Média
1055, boulevard René-Lévesque Est
Bureau 300
Montréal (Québec) H2L 4S5
Tél.: 514 523-7993
Téléc.: 514 282-7530
Courriel: info@leseditionsdujournal.com
Vice-président à l'édition: Martin Balthazar

Distributeur
Les Messageries ADP inc.*
2315, rue de la Province
Longueuil (Québec) J4G 1G4
Tél.: 450 640-1234
Téléc.: 450 674-6237
* filiale du Groupe Sogides inc., filiale de Québecor Média inc.

Les éditions du Journal bénéficient du soutien de la Société de développement des entreprises culturelles du Québec (SODEC) pour son programme d'édition.
Gouvernement du Québec – Programme de crédit d'impôt pour l'édition de livres – Gestion SODEC.

Nous remercions le Conseil des arts du Canada de l'aide accordée à notre programme de publication.

Dépôt légal: 4e trimestre 2017

leseditionsdujournal.com

GILLES PROULX

avec **LOUIS-PHILIPPE MESSIER**

LES CARNETS d'un voyageur INFATIGABLE

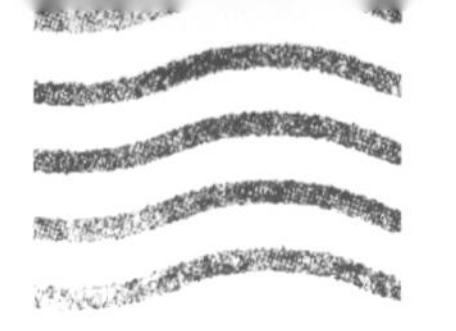

SOMMAIRE

01 | LA POLITIQUE

02 | NATURE

03 | CULTURE

PRÉAMBULE

Ma carrière à la radio comme reporter-animateur de tribunes téléphoniques m'occupait sans trêve. La nuit, je rêvais du travail. Le jour en dehors de mes heures au micro, j'étais assailli, dérangé, harcelé par des gens qui m'aimaient ou me détestaient. Impossible d'avoir la paix! Pendant mes vacances, partir du Québec devenait donc une nécessité pour demeurer sain d'esprit, pour « décrocher ». J'avais le choix entre la cabane au fond des bois ou l'évasion à l'étranger. N'étant pas un ermite de nature, j'ai fait le tour du monde — 102 pays; j'ai passé environ dix ans en voyage même si j'ai toujours vécu et travaillé ici, hormis deux longs séjours à Paris et à Dakar. Depuis 1961, je ne me suis jamais défait de mon appareil-photo. Ma recherche de l'image forte n'a jamais cessé. En devenant globe-trotter, je réalisais un vieux rêve nourri par mon premier emploi de journaliste à CKBM-Montmagny. Dans la minuscule salle de rédaction, le téléscripteur crépitait. Se succédaient des dépêches au sujet de contrées fabuleuses : Algérie, Irlande, Yémen, Vietnam, Yougoslavie, Chypre, etc. Ma toute première lecture de nouvelles fut la « crise des missiles » en octobre 1962 : on découvrait avec stupeur que le Cuba de Fidel Castro avait des missiles alignés vers les États-Unis... Je me suis dépêché d'aller visiter Cuba dès que j'en ai eu l'occasion longtemps avant son ouverture au tourisme. Les pays dont je parlais, souvent en raison des conflits qui les déchiraient, je voulais y mettre les pieds. Pour vous dire toute la vérité, ma vocation de grand voyageur était probablement déjà implantée dans mon esprit par la lecture assidue et répétée de tous les albums de Tintin que mon père regardait avec moi.

01 | LA POLITIQUE

CORÉE DU NORD | POLOGNE ET ALLEMAGNE NAZIE | CUBA ET BOLIVIE | LE MONDE ISLAMIQUE | YOUGOSLAVIE | LA CHINE ET LE TIBET | TERRE SAINTE | LES ÉTATS-UNIS D'AMÉRIQUE | L'ÎLE SAINTE-HÉLÈNE | LE SÉNÉGAL | LE VIETNAM | HISPANIOLA : HAÏTI ET LA RÉPUBLIQUE DOMINICAINE | L'OUGANDA | LE SRI LANKA | CHYPRE

1 CORÉE DU NORD

SOUS SURVEILLANCE EN CORÉE DU NORD

Je me suis retrouvé au centre d'une ville magnifique et irréelle garnie de monuments en bronze et de statues géantes, devant lesquelles la population défilait en s'inclinant. Je parle de Pyongyang, capitale de la Corée du Nord. Je n'ai pas la fortune d'un Guy Laliberté pour aller dans l'espace, mais j'ai quand même l'impression que je viens de changer de planète!

Pendant une semaine, ma guide, méfiante, me surveillait. Dès qu'elle avait le dos tourné, je sortais mon appareil-photo. Elle me parlait des héros de la libération de son pays: un grand-père « président éternel », un père et un fils. Dernier de la lignée, Kim Jong-Un dirige maintenant ce peuple docile.

1.1 Cette statue monumentale en bronze d'une trentaine de tonnes montre Kim Jong-Il au milieu de paysans. D'autres statues le montrent avec des militaires, des scientifiques, des ouvriers. Bref, les Kim se veulent au cœur de toutes les activités. Obligation pour les touristes de s'incliner devant le «père de l'agriculture». J'ai échappé au groupe en prenant du retard de manière à pouvoir le photographier de dos.

1.2 Après avoir chanté l'hymne national, ces adolescents se rendent à l'école de leur quartier dans une petite ville non loin des temples du mont Myohyang.

C'est l'automne. Le centre-ville n'a pas de smog, mais il baigne dans un brouillard matinal. Ses rues sont d'une propreté à faire rougir Singapour. De larges et belles avenues ornées de bâtiments multicolores me font penser à l'architecte Le Corbusier.

De jeunes femmes en uniforme, munies de sifflets et de bâtons lumineux, gèrent la circulation aux intersections. Leurs mouvements sont réglés et saccadés comme ceux de poupées mécaniques.

À la campagne, je pensais me réveiller au chant des oiseaux. Eh bien non : dès 5 h, les haut-parleurs sortent la population du lit pour entreprendre une autre journée au service du petit-fils bien-aimé.

1.3 Ces demoiselles qui gèrent la circulation sont partout à Pyongyang. Heureusement pour elles, les automobilistes sont rares.

LE CULTE

Pour aller rendre visite aux défunts père et grand-père, j'ai emprunté un couloir de marbre beige et gris, long comme l'éternité, où résonnait une musique lugubre. Au bout, je voyais ces chefs héroïques – exposés, «plastinés» et reluisants, dans leurs cercueils de cristal. Il fallait se prosterner, c'était obligatoire.

Tous les cadeaux offerts par les États étrangers au grand-père et au père sont réunis dans un musée – il y a un livre sur les saisons au Canada offert par Jean Chrétien.

Partout en ville, à la campagne, même au milieu des champs, il y a des soldats au garde-à-vous, rigides comme des figurines de plomb, reconnaissables à leur couvre-chef au sommet large comme une pizza.

Nulle part il n'y a de chats ou de chiens, sauf dans certaines fermes. Le saint-bernard est une viande de choix, me dit-on. Dans un restaurant, on m'offre une soupe au chien; je m'abstiens.

SANS OBÉSITÉ

Ce peuple triste est pourtant beau. Pas de « gros baquets ». Pas de malingres non plus. La famine est apparemment une chose du passé.

Les écoliers éclatent de rire en voyant un obèse dans mon groupe; son allure jure dans le décor.

Ces enfants en uniforme quasi militaire vont à l'école au pas de l'oie, escortés par leurs « surveillants ». L'année scolaire comprend trois cent trente-cinq jours, y compris les samedis.

Pour contrer le chômage, m'a-t-on expliqué, quiconque se retrouve sans emploi devient ipso facto un « surveillant » de quelque chose ici ou là. L'État a toujours besoin d'yeux et d'oreilles.

Le seul endroit où j'ai vu des gens vraiment heureux, c'était dans un stade de soccer bondé, où l'équipe nationale a remporté une partie contre un autre pays barricadé – le Yémen.

Même dans la halte merveilleuse d'un temple bouddhiste antique parfaitement préservé et encore tenu par des moines en prière, il y a ici et là des soldats pour les épier.

Vraiment, j'ai eu l'impression de me réveiller en sortant de la Corée du Nord. De retour en Chine, je me sentais aux États-Unis! Enfin libre! Comme quoi tout est relatif...

1.4 Le poste-frontière entre le Nord et le Sud. J'ignore pourquoi, mais les soldats du Sud n'étaient pas là, ce jour-là. Normalement, ils prennent place de l'autre côté du bassin de gravier.

1.5 Cette soldate servait de guide au Musée de la guerre pour vanter les victoires de la Corée du Nord. Le joyau de la collection : le *USS Pueblo*, un bateau-espion américain capturé en 1968. Derrière elle, sur la photo : un char d'assaut américain Sherman.

1.6 À Kaesong, j'ai pris cette photo à la dérobée et je l'aime bien parce que c'est si difficile de croquer des sourires chez les gens de Corée du Nord, surtout chez les militaires. «Cette photo est mal cadrée» vous allez me dire. Certes, j'ai dû la faire sans regarder en espérant viser juste !

CHAPELET D'INTERDICTIONS

Avant mon départ pour la Corée du Nord, l'agence de voyages qui organise ce périple m'a envoyé un épais livret de conseils et de consignes.

Parmi les règlements : pas de casquette, pas de cheveux longs – pour les hommes pas de jeans, pas de t-shirt. Mais surtout, pas de linge chic. Modestie vestimentaire obligatoire. Bref, je devrai avoir l'air autant que possible de quelqu'un du pays.

Autres consignes : pas de photos de famille – j'ignore pourquoi.

Pas de lentille d'approche photographique de plus de 150 mm.

Pas de stylo. Pas de calepin. Pas d'enregistreuse.

Imaginez qu'un touriste prenne des notes... On va trouver ça louche et on va vouloir savoir ce qu'il écrit, pourquoi, pour qui ? D'accord, je ne prendrai pas de notes.

« BACK TO THE USSR »

Autres interdictions : pas de magazines ou de livres en coréen, pas de Bible, pas de croix. Pas même de collier avec une croix. Aucun ouvrage religieux. D'accord.

Pas de chewing-gum. Pas de drapeau américain ou sud-coréen ou de vêtements qui arborent des symboles associés à ces deux pays. D'accord.

Moi qui me plains constamment des maudites casquettes de sport américaines, même en Amazonie chez les indigènes ou dans les ruines de Persépolis en Iran, je vais enfin avoir des vacances !

Pour avoir mon visa et pour pouvoir visiter la Corée du Nord, j'ai été obligé d'accepter ces conditions extraordinaires. Ce n'est pas la première fois. Quand j'ai visité l'URSS pendant l'ère de Léonid Brejnev, c'était le même genre de contrôle.

1.7 Ces édifices ont beau être en béton, ils sont néanmoins colorés et agréables à regarder. Bref, Pyongyang n'est pas la ville grise que l'on imagine volontiers en se fiant à l'exemple stalinien.

INFRANCHISSABLE MURAILLE

En Corée du Nord, je suis retombé en enfance. Oui, comme au pensionnat jadis, mon groupe et moi – une vingtaine de gens – étions totalement dépourvus de liberté de mouvement. Nous étions obligés de suivre scrupuleusement le plan de voyage. On nous disait où nous asseoir, où ne pas aller, quoi ne pas regarder. On nous disait d'admirer le pays, mais quiconque sortait son appareil-photo faisait faire de l'urticaire aux guides.

Jamais je n'ai eu autant l'impression d'être un pur spectateur devant des scènes qui m'étaient totalement étrangères.

Les Nord-Coréens, uniformément vêtus de noir et de gris, nous étaient inaccessibles. Par milliers, à pied ou à vélo, ils allaient en silence, sans brouhaha, au travail. Les enfants pendant la récréation ? En rang, ils faisaient de la gymnastique. Pas question de les laisser jouer librement ! Quoique ce pays qui n'aime pas les États-Unis raffole néanmoins du basketball...

Imaginez le sentiment que nous éprouvions lorsque des milliers de gens passaient près de nous sans daigner nous lancer un seul regard.

En Iran, les gens s'enthousiasment et vous parlent. Presque partout sur Terre, la curiosité l'emporte. En Corée du Nord, celui qui nous aurait parlé – ou qui aurait osé répondre à nos salutations – aurait eu droit à un interrogatoire en règle, voire à une punition.

Malheur ici à ces tempéraments qui ont le flirt facile... Ils se feront mettre dehors du pays à coups de pied dans le derrière !

Notre guide adjoint, un jeune Coréen qui parlait l'anglais, servait de mouchard. Il nous surveillait et rapportait nos écarts. À un certain moment, on m'a dit : « Monsieur Proulx, si vous sortez du rang ou ne suivez pas le groupe, on va vous renvoyer à l'aéroport. »

Un jeune Hollandais insupportable n'arrêtait pas de m'engueuler parce qu'il me reprochait de ne pas suivre aveuglément les guides. Dommage que ce jeune mouton ne soit pas né en Corée du Nord, il se serait senti chez lui.

Quel étrange pays que cette Corée communiste qui veut des touristes... et qui fait tout pour les empêcher de se comporter comme tel ! J'avais l'impression d'être un poisson dans un aquarium, confiné, coupé du reste du monde.

Dans le métro, où l'on voyait les Coréens lire la presse officielle exposée dans les couloirs, on se faisait superbement ignorer. Pas question de se compromettre en échangeant avec un étranger.

CORÉE DU NORD : ROYAUME DE PROPAGANDE

Dans tout pays communiste, on se fait un devoir de ne jamais oublier de rendre hommage à ceux qui ont fait naître le régime. Pour ne pas donner l'impression d'être colonisés par Moscou ou Pékin, les Nord-Coréens refusent d'honorer les Mao, Karl Marx ou Lénine. Ils font comme si c'était eux qui avaient inventé le vrai communisme.

Le fondateur du régime, Kim Il-Sung, mort en 1994, est officiellement le « président éternel », selon la Constitution. Son fils Kim Jong-Il et son petit-fils Kim Jong-Un l'ont effectivement remplacé à la tête du pays comme chefs du parti communiste. C'est la seule dynastie communiste héréditaire de l'histoire ! Partout, de gigantesques monuments honorent les Kim. Le peuple est tenu de les aduler, un peu comme des dieux, en déposant des fleurs à leurs pieds et en s'inclinant devant leurs statues. Tout manquement à ces règles entraîne de lourdes réprimandes.

1.8 Portraits quétaino-propagandistes de Kim Il-Sung et Kim Jung-Il. La propagande du régime est partout. Comme la publicité de (sur)consommation chez nous.

La publicité ne cherche pas à vendre des choses, mais à entretenir la foi dans le communisme et dans les Kim.

Jamais on n'a l'occasion d'oublier qu'on est sous une dictature: quand ce ne sont pas des militaires ou des policiers qui nous le rappellent, ce sont des affiches ou des statues. Même dans les foyers, les calendriers montrent les Kim et arborent les symboles du Parti.

BOUDDHISTES EN PAYS COMMUNISTE

Au-delà de la Corée du Nord grise, qui encadre tous les aspects de la vie, il y a une Corée paisible au cœur du mont Myohyang.

1.9 Ce moine debout devant un temple semblait perdu dans sa méditation. J'ignore ce qu'il faisait au juste. De la musique sacrée résonnait derrière lui.

En arrivant dans ce petit paradis quand même surveillé par des soldates – oui, des femmes surtout –, j'avais l'impression de me retrouver dans un autre monde, totalement coupé du reste du pays. Ici, le kaki est moins en évidence. On oublie qu'on se trouve dans le pays le plus militarisé du monde.

À voir ces bâtiments merveilleux assemblés avec amour et dévotion par des croyants épris de beauté, je me sentais comme au Tibet, mais en plus éclatant, en plus propre.

En Chine, le Parti persécute le vieil ennemi tibétain et souhaite faire disparaître ce peuple en y implantant des « colons » jusqu'à ce que ceux-ci forment la majorité. Les bouddhistes de Corée du Nord ne subissent pas les mêmes affres de la part des autorités. Pourquoi ont-ils droit à un traitement spécial dans ce pays communiste ? Simplement parce que ces moines, qui vivent dans les hauteurs, ont pris le parti du révolutionnaire contre l'envahisseur japonais dans les années 1920, 1930 et 1940.

On ne peut pas dire que le parti communiste nord-coréen, farouchement athée, ne respecte pas sa parole puisque ces moines sont tolérés... tant qu'ils se contentent de méditer.

Le bouddhisme ainsi pratiqué est inoffensif idéologiquement, du point de vue de Pyongyang. Ce ne serait pas la même chose avec les jésuites ou les franciscains. Ce serait encore moins le cas avec l'islam, qui a des ambitions politiques.

Le contraste entre les temples du mont Myohyang et le reste du pays est si marqué qu'il fait ressortir ce que la Corée du Nord a de brutal dans son culte architectural du béton et du cuivre.

Fait à noter : le rythme de la vie à Pyongyang, la capitale, est loin d'être ce qu'il est à Séoul ou dans toute autre ville affairiste. C'est l'avantage paradoxal de la dictature communiste : on est peut-être constamment angoissé de subir les soupçons des autorités – qui ne pardonnent pas –, mais il n'y a pas le stress de la course sans fin à laquelle les gens « libres » comme nous sont condamnés.

BEAUTÉS DE LA CORÉE DU NORD

Dans cette dictature communiste, il y a de belles choses. L'affreuse quétainerie des œuvres d'art officielles n'a pas le monopole. À l'entrée de la bibliothèque de Pyongyang, une sculpture monumentale représentant plus d'une dizaine de danseuses traditionnelles étonne par sa beauté. On a l'impression de se trouver devant des anges de cathédrales. Or, dans ce pays athée, pas question de montrer des créatures bibliques. On a quand même donné à ces femmes quelque chose d'aérien et, oui, d'angélique. La bibliothèque elle-même ressemble à un temple avec ses corniches en encorbellement. À l'intérieur, des dizaines de milliers d'ouvrages et des centaines d'étudiants.

Croyez-le ou non, en examinant les étagères, j'ai découvert des titres comme *1984* de George Orwell, le roman qui dépeint un régime totalitaire... Imaginez-vous vivre en Corée du Nord et lire *1984*, une expérience immersive totale !

ARCHITECTURE

Au centre-ville de Pyongyang, capitale rebâtie à neuf, force est d'admettre que les architectes nord-coréens sont parvenus à faire quelque chose de beaucoup plus beau et coloré que les affreuses bâtisses staliniennes caractéristiques de l'Europe de l'Est.

1.10 Le monument devant la bibliothèque nationale montre des « anges » qui n'en sont pas, athéisme oblige.

Même la nuit, la capitale nord-coréenne, avec ses lumières, est belle. Hélas ! Le style pictural le plus fréquent est d'un conventionnalisme à faire pleurer. La grande murale qui ornait la salle à manger de mon hôtel était loin de nous étourdir...

Même si la Corée du Nord manque chroniquement d'électricité, cela n'empêche pas Pyongyang de se parer de belles lumières, lorsqu'elle le peut, la nuit.

2.1 Photo que j'ai prise en décembre 1978 pendant que la guerre froide battait ses records de froideur entre l'Est et l'Ouest. Voici de quoi avait l'air le *No Man's Land* entre la partie communiste et l'enclave capitaliste de Berlin. Maintenant, des édifices modernes ont balayé le passé douloureux.

2 POLOGNE ET ALLEMAGNE NAZIE

SUR LES TRACES DES DÉMONS D'EUROPE

Les catastrophes humaines du XXe siècle ont traumatisé les habitants d'Europe. Il n'y a pas très longtemps, on avait si honte du nazisme et de ses crimes que ce pan de l'histoire était marqué du sceau du tabou. Au cours d'un périple en Allemagne et en Pologne, j'ai pu me rendre compte que ces pays ont trouvé le courage de faire face à leurs démons.

Le tourisme historico-militaire est donc devenu possible dans des endroits liés aux abominations nazies aujourd'hui tristement célèbres. Avant, les gens refusaient de répondre aux questions qui touchaient ce sujet épineux. Maintenant, à partir de Munich, il existe même des circuits touristiques nommés « La Route du IIIe Reich ».

Premier arrêt : la brasserie Hofbräuhaus am Platzl, datant du XVIe siècle. C'est là qu'Hitler souleva la foule, à Munich, le 8 novembre 1923 pour ensuite descendre dans la rue et tenter un coup d'État raté, ce qui va le mener à la prison forteresse de Landsberg, toujours active aujourd'hui. Il y rédigera avec son ami Rudolf Hess son livre *Mein Kampf*, qui le rendra riche avec des ventes à coups de millions d'exemplaires. Ce best-seller douteux augurait l'apocalypse qui s'en venait. Voilà pour l'ex-petit peintre des rues de Vienne qui commençait à monter dans les hautes sphères de l'Allemagne, qui n'était même pas son pays. De nos jours, dans cette brasserie plus vieille que la ville de Québec, tout est joie et fraternité. On rit, on chante, on trinque au son d'une musique bavaroise. Les repas sont plus qu'excellents et les prix abordables.

Deuxième arrêt : la flamme éternelle qui honore le courage des résistants antinazis du mouvement de la Rose Blanche.

Troisième arrêt : Dachau, le premier camp de concentration, en fonction dès 1933, destiné aux premiers objecteurs de conscience, gens de gauche, gitans et Juifs. Les crimes de masse du nazisme n'en étaient alors qu'à leurs balbutiements.

BIÈRE ET BMW

Bien sûr, Munich n'est pas que cela. C'est une ville fière de ses BMW, qui a son musée à l'allure futuriste. Parlant de modernisme, le nouveau stade olympique a l'air d'un objet volant non identifié venu se poser sur le sol allemand.

Munich, c'est aussi l'Oktoberfest, un célèbre festival qui accueille des centaines de milliers de buveurs de bière, reçus par des gens de la place attriqués à la mode bavaroise, avec culottes courtes et chapeau arborant des plumes de faisan. Il s'y déverse alors plus de dix millions de litres de boisson houblonnée destinés à réjouir la foule.

L'Allemagne, l'un des pays les mieux organisés du monde, sait aussi associer culture et fierté linguistique. Ici, partout, une vraie « loi 101 » impose un affichage résolument respectueux de la langue de Goethe – contrairement à sa volage voisine française qui se délecte de l'anglomanie.

LE CHÂTEAU DE NEUSCHWANSTEIN

Avec un des meilleurs réseaux routiers du monde, avec ses voies rapides gratuites sans limites de vitesse, mais où des patrouilleurs punissent les conducteurs dangereux, émules de Gilles Villeneuve. L'une de ces voies m'a fait entrer dans la campagne bavaroise, terre au drapeau bleu et blanc. La province, hautement catholique, regorge d'églises aux abondantes décorations baroques, voire rococo, importées de cette Italie aux talents parfois excessifs. Les routes sinueuses sont entourées de magnifiques maisons de montagne qui affichent la foi catholique à leurs murs avec des illustrations peintes sur les façades.

Dans les Alpes, à Füssen, le flamboyant château royal de Neuschwanstein fait la gloire de la Bavière. Longtemps snobée parce que considérée comme ridicule, cette merveille que nous devons à l'excentrique et génial Louis II de Bavière a inspiré le fameux château emblématique de Walt Disney, qui n'en est qu'une pâle imitation.

Nous nous arrêtons chez Müller, un café agréablement décoré au menu abondant et très abordable. Puis, nous passons une nuit au Luitpoldpark, un hôtel quatre étoiles à moins de 200 $ la nuit, petit-déjeuner inclus. Dans les restaurants, comme au Eiscafé Paradiso, des Italiens nous rappellent que l'on peut manger en Bavière autre chose que du porc et des grosses saucisses blanches.

LE NID D'AIGLE

Une petite halte à Berchtesgaden, bourgade sise au creux de montagnes vertigineuses qui offrent un décor de carte postale. C'est ici que mon circuit sur les démons de l'Europe reprend vie. Là-haut, aux quatre vents, on distingue aisément le « Nid d'Aigle » – une résidence de luxe où s'est amusée, loin des bruits de la guerre, Eva Braun, la maîtresse puis l'épouse du Führer. Adolf Hitler s'attendrissait devant cette belle nature alpine afin d'oublier que, sur le front Est, à Stalingrad, il perdait des milliers d'hommes dans des conditions épouvantables. La seule maison qui tienne encore debout est celle du quartier général des SS qui occupaient ce secteur à l'époque, devenue aujourd'hui une auberge. Pour le reste, on a tout rasé. On a cependant gardé le sous-sol de la maison de Borman pour y installer un musée fort intéressant et instructif, et par lequel on accède aux entrailles qui menaient sous terre à une demeure ou une autre de l'état-major nazi.

Le Nid d'Aigle était un cadeau du parti nazi pour célébrer les 50 ans de son chef. Démantelé à la fin de la guerre, puis reconstruit avec les mêmes pierres, il est devenu un restaurant abordable pour ceux qui aiment l'air pur et les hauteurs. Hitler n'aimait pas ce cadeau, et n'y allait que très rarement; souffrait-il du mal des hauteurs?

2.2 Ce manoir sur le sommet d'une montagne, le Nid d'Aigle, est en Bavière. Ce fut un cadeau du parti nazi à son chef Hitler pour ses 50 ans. Mais le Führer n'appréciait guère ; souffrait-il de vertige ? Son penchant allait plutôt au Berghof, un peu plus bas.

Tant qu'à être à Berchtesgaden, aussi bien faire un petit tour à Salzbourg, en Autriche, question d'aller saluer le fantôme de Mozart dans sa résidence familiale. Et ensuite, je file vers la capitale : Berlin la neuve.

BERLIN LA MIRACULÉE

Ses blessures de guerre se sont cicatrisées. Depuis la réunification allemande en 1990, la popularité de Berlin ne cesse de croître et d'attirer des touristes du monde entier. Une ville incroyablement agitée jour et nuit, qui renferme de riches musées, des monuments gigantesques, des espaces verts, un jardin botanique, et l'un des plus beaux zoos du monde avec ses rarissimes pandas.

Tout ce qui reste de l'époque hitlérienne, ici, c'est le magnifique stade olympique des jeux de 1936, où Jesse Owen – un sous-homme, parce que Noir, selon Hitler – avait remporté trois médailles. Son nom est désormais là, accroché au mur d'honneur. Il y a aussi la Kaiser Kirche, une église dévastée par les bombes des alliés, et la porte de Brandebourg, qui accueillit un Napoléon triomphant en 1806 et qu'a chantée Jean-Pierre Ferland.

Quant au Reichtag, un parlement néo-Renaissance édifié en 1884 et malmené lors de la guerre, il a été rafraîchi en recevant sur son toit une coupole elliptique.

Le lieu historique de la ville qui attire le plus de visiteurs est sans contredit « checkpoint Charlie », un point de passage tristement célèbre entre l'Ouest et l'Est allemand pendant la guerre froide, et le Mur de la honte. Le nom de Charlie vient simplement de l'alphabet international : alpha, bravo, charlie, etc. Une tour de garde existe encore à titre de musée. Les touristes se font photographier avec des soldats ou soldates vêtus d'uniformes militaires américains ou est-allemands.

2.3 Combien de «vopos ou Volkspolizei» (la police militaire est-allemande) montés dans ce mirador ont-ils pointé leur AK47 sur des concitoyens désespérés qui essayaient de traverser le Mur de Berlin ? Certaines estimations évoquent plus de 1000 victimes.

VARSOVIE LA GRANDE

Me voilà à Varsovie, en Pologne, la ville de Frédéric Chopin. Encore une grande métropole archipropre et sans graffitis. Meurtrie par la guerre et mise en ruines par les troupes d'Hitler en retraite, elle s'est depuis refait une beauté. On a reconstruit avec soin les quartiers historiques, dont une partie du ghetto juif et même le château royal – incroyable !

Varsovie ne coûte pas cher. Dans ses rues belles, larges et garnies de terrasses, on sert à manger pour deux ou trois euros seulement. Le long des parcs, des bancs publics accueillent des amoureux qui se bécotent, mais également des mélomanes puisque ces bancs jouent du Chopin lorsqu'on actionne un bouton-poussoir – quelle différence avec nos boutiques qui nous imposent du rap ! En face de la maison de Chopin se trouve un manoir magnifique et immense devenu un bâtiment administratif. C'est là que Napoléon fut étourdi par Maria Walewska lors d'une danse. Elle n'avait que dix-neuf ans.

Ce qui prend à la gorge, à Varsovie, c'est la visite de ce qu'il reste de l'ancien ghetto juif, où 400 000 personnes ont été enfermées par les nazis. Malgré l'expansion et la modernisation de la ville, deux ou trois pâtés de ces immeubles ont été conservés.

2.4 Le bunker bétonné d'Adolf Hitler en Pologne était tellement résistant qu'au moment de la fuite vers Berlin, les Allemands ont été incapables de le détruire. Il est donc encore là. Même si la nature y fait tranquillement son œuvre.

2.5 Le camp de concentration de Treblinka, près de l'usine de la mort d'Auschwitz, recueillait les prisonniers les plus en forme, qui étaient mis au travail forcé ; pour les autres, la chambre à gaz.

2.6 Le ghetto de Varsovie, ce quartier-prison où l'on concentrait la population juive, pour la laisser crever de faim... avant d'en venir à la « solution finale » de l'extermination industrielle. Lors de ma dernière visite, le gouvernement s'apprêtait à restaurer ces édifices. Les photos sur les murs montrent les gens qui logeaient là avant l'apocalypse nazie.

LA TANIÈRE DU LOUP

À 250 km de Varsovie, il y a la Tanière du loup, l'ancienne base d'attaque de la Russie d'Adolf Hitler : 200 000 visiteurs curieux ou amoureux de l'histoire s'y rendent chaque année pour voir ce site entretenu par le gouvernement polonais où se trouvent d'immenses immeubles archibétonnés qui abritaient l'état-major allemand. C'est ici, dans ces bois infestés de maringouins, que le colonel Claus Schenk von Stauffenberg tenta d'éliminer le Führer. Tom Cruise a campé le rôle de von Stauffenberg dans le film qui retraçait l'histoire de la mission Walkyrie. Hitler y a séjourné 850 jours, et c'est le 20 novembre 1944, voyant l'armée soviétique approcher, qu'il prit son train spécial baptisé « Brandenburg » à destination de Berlin, où il mit fin à ses jours en avril 1945, après avoir provoqué la mort de 50 millions de personnes. Pour effacer, sans succès, le repaire du loup de la surface de la Terre, il a fallu 10 tonnes d'explosifs. Du haut de leurs 30 mètres et plus, offrant un concert chanté par les vents qui se faufilent dans les brindilles, les arbres des environs sont les témoins silencieux du temps où rugissaient les démons de l'Europe.

3 CUBA ET BOLIVIE

MYSTIQUE RÉVOLUTIONNAIRE OU MARKETING

En août 1968, j'avais 28 ans. L'URSS venait d'écraser le Printemps de Prague. La crise des missiles de 1962 hantait encore les esprits. Pour ma part, sentimental et nationaliste – et naïf –, j'étais éperdu d'admiration pour Fidel Castro. Eh oui... Fort de mon passeport canadien, à la suite d'un détour par le Mexique, j'ai pris l'avion pour Cuba. Chose étonnante, un homme très imposant (de la CIA ?) se tient près du comptoir de Cubana di aviation pour nous intimider et nous dissuader d'aller dans un *communist country*. Je me laisse impressionner et l'homme prend mon passeport en photo.

À La Havane, je suis le seul touriste ; des soldats m'accueillent et m'assignent un hôtel. Il y a des files de gens partout pour se procurer des vivres. J'ai pour seul compagnon un vieux Français, un gauchiste qui enseigne les mathématiques et qui embrasse le nouveau régime. Près du capitole, nous parlons longuement, et il soutient que Che Guevara est toujours vivant – ce dont je doute puisque j'ai vu les photos des militaires boliviens l'ayant exécuté l'année précédente. Plus tard, un homme étrange, probablement un

3.1 Eh oui, l'armée cubaine accepte maintenant les visites de touristes. Inimaginable il y a dix ans ! La preuve que la tension baisse. J'ai bien sûr dû prendre cette photo à la dérobée, ce n'était pas permis.

3.2 À Santiago de Cuba, cette demoiselle souriante à l'arrière d'une moto se permet de boire une bière locale, la Bucanero.

agent provocateur, essaie de me faire dire du mal du communisme, mais je ne tombe pas dans le piège.

Un jour, des milliers de Cubains munis de drapeaux se dirigent vers la place de la Révolution, où mon idole Fidel Castro va prononcer un discours-fleuve. Il y a un quart de millions de personnes ! Castro prend parti pour l'URSS, qui vient d'envahir la Tchécoslovaquie, et il nous harangue longuement pour dénoncer l'industrie corruptrice qu'est le tourisme.

De retour au Québec, pour une émission de Bernard Derome, le reporter Guy Lamarche m'interroge sur mon voyage à Cuba, mais on me trouve trop complaisant envers le régime castriste et l'entrevue n'est jamais diffusée.

Lorsque j'ai voulu couvrir la guerre du Vietnam en 1972 et suivre une unité de l'armée américaine, on m'a dit *No ! Because you have visited Cuba.* La photographie de mon passeport prise en 1968 avait nourri la mémoire d'éléphant de la CIA pour qui j'étais devenu... un sympathisant communiste !

ÉLOGE CRITIQUE DE CUBA

Cuba n'est pas démocratique, je veux bien. Mais Haïti, oui. Et dites-moi, dans lequel de ces deux pays iriez-vous naître si vous aviez le choix ? À Cuba, il faut se montrer à la fois critique et élogieux – les deux – avec l'héritage de Fidel Castro. Quiconque ne s'en tient qu'à la critique ou à l'éloge me semble avoir un esprit partisan.

Les nationalistes cubains n'avaient pas d'autre choix que de devenir communistes. Pour recouvrer leur souveraineté, il leur fallait éradiquer le pouvoir de l'argent de leur voisin qui dominait tout chez eux.

Chef tout puissant, Castro aurait très bien pu jouer les demi-dieux et fomenter un génocide à la cambodgienne, ou s'acharner sur l'ennemi intérieur à la manière de la totalitaire Corée du Nord ; son pouvoir absolu ne l'a donc pas corrompu – ou rendu fou comme Mouammar Kadhafi ou Saddam Hussein –, ce qui est louable.

Si Cuba n'avait pas cessé d'être une « république de bananes » soumise aux intérêts du voisin américain, les conditions de vie y seraient bien pires et l'analphabétisme galopant... Or, la « vilaine dictature » a investi dans l'éducation et dans la santé.

COMPARER AVEC CE QUI EST COMPARABLE

Quand on peint un portrait sinistre de Cuba, on s'assure de ne jamais comparer ce pays à ses voisins immédiats.

En République dominicaine, la présence américaine est très forte. Ce pays roule-t-il sur l'or ? Non. Est-il épargné par la corruption ? Non plus !

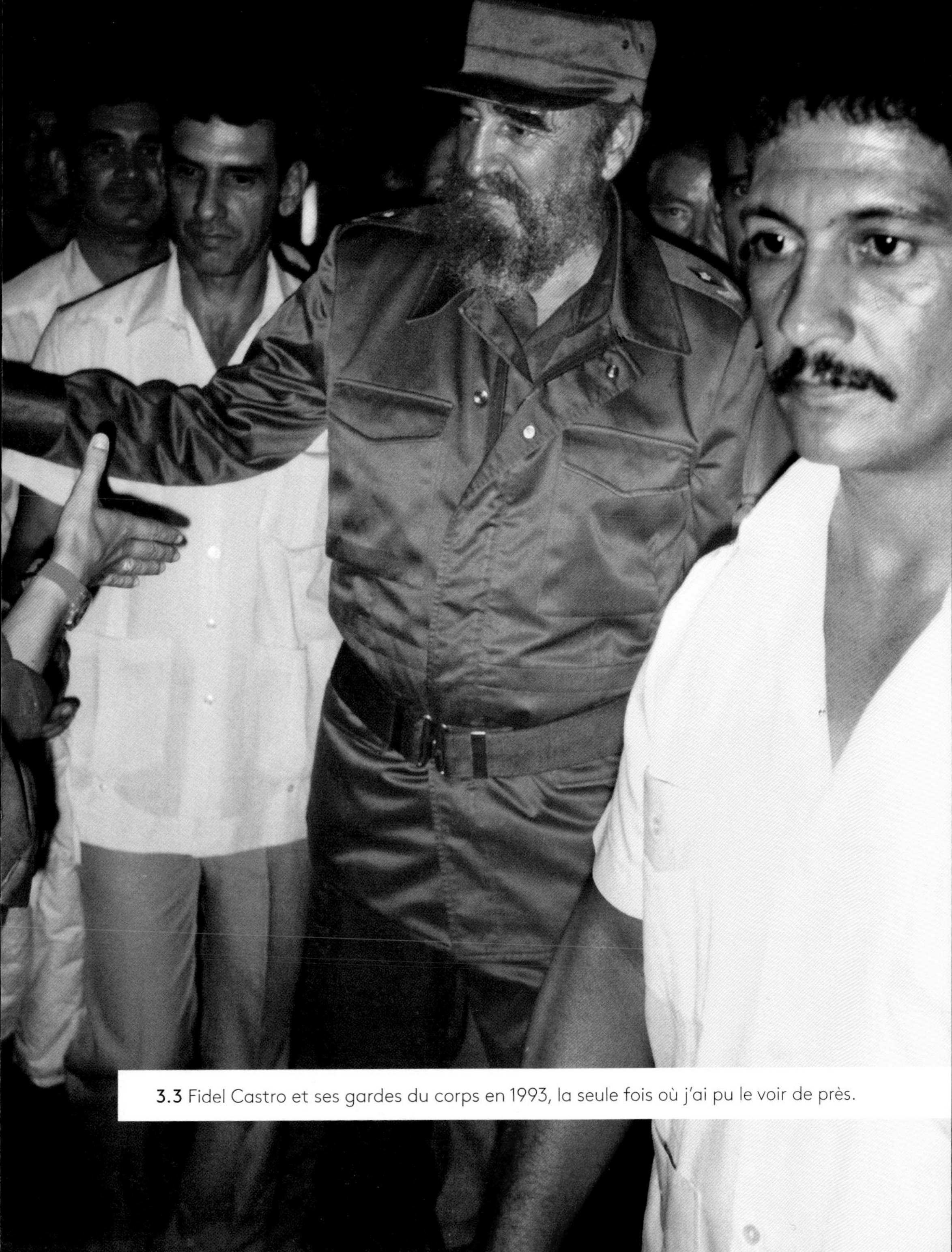

3.3 Fidel Castro et ses gardes du corps en 1993, la seule fois où j'ai pu le voir de près.

En Amérique latine, on voit souvent des bidonvilles former des quartiers à part entière. À Cuba, il n'y en a pas. L'extrême pauvreté a été éradiquée – contrairement aux États-Unis.

L'échec des Américains n'est pas seulement de ne pas être parvenus à assassiner Fidel Castro, malgré d'innombrables tentatives avortées, c'est surtout que le castrisme, plus pragmatique que dogmatique, a évolué pour survivre. Au lieu de s'effondrer avec le Bloc soviétique comme on s'y attendait, Cuba s'est ouvert au tourisme pour se faire de nouveaux amis.

LE CASTRISME A UN AVENIR

J'ai eu l'occasion de voir à distance, à Santiago de Cuba, Raul Castro prenant un bain de foule et se faisant acclamer par les gens. Ma prédiction : le castrisme va survivre au plus jeune des frères Castro. La nouvelle génération de Cubains va l'adopter et l'adapter pour éviter au pays de redevenir un satellite des États-Unis.

3.4 Le contraste est saisissant entre les luxueux bateaux de croisière et La Havane en décrépitude.

Maintenant qu'il est mort, Fidel Castro sera-t-il adulé à l'égal d'un Simon Bolivar ? Ça se pourrait. Son frère et lui ont certes échoué à propager la doctrine communiste dans les pays environnants, mais il suffit de regarder les régimes politiques de gauche ou de centre gauche sur le continent hispanophone pour constater leur relative réussite. Ils ont ouvert une brèche dans l'hégémonie américaine du Mexique à la Terre de Feu.

CUBA SANS LE QUÉBEC

Beaucoup d'entre vous ont déjà mis les pieds à Cuba pour vos vacances. C'est notre destination touristique abordable par excellence. Je remarque toutefois la fin de l'âge d'or des relations Québec-Cuba. L'importance stratégique que représente l'île diminue énormément.

Aux funérailles de Pierre Elliott Trudeau, Fidel Castro se promenait dans le Vieux-Montréal, à la stupéfaction des touristes américains, qui croyaient halluciner devant le *lider maximo* en pays ami. C'est à d'autres funérailles plus récentes, celles de Nelson Mandela en 2013, que le président américain Barack Obama a tendu la main à Raul Castro, ex-dur de dur du régime. En 2015, Obama visitait La Havane, ce qui ne s'était pas vu depuis le président Coolidge, en 1928.

Pour Cuba, ce rapprochement implique un boum économique. Les investisseurs affluent. « C'est la deuxième mort de Che Guevara », a écrit un journaliste du quotidien *Le Monde* au sujet de ce retour des États-Unis. Je ne suis pas d'accord.

Cuba va vouloir se comporter en Chine miniature. Le régime castriste, dont les fleurons sont l'instruction et la santé, gardera la mainmise sur l'administration et la Loi. Les caciques du parti ne vont pas laisser les « pégreux » qu'ils ont exilés vers les États-Unis revenir exploiter des casinos. La dernière chose que veulent les Cubains, c'est un retour à l'ère Batista, où les Yankees se comportaient en maîtres.

CUBA DEVANT L'INCONNU

Souvenez-vous : l'ancienne candidate à la vice-présidence Sarah Palin a beaucoup fait rire d'elle en disant qu'elle pouvait apercevoir la Russie de sa fenêtre en Alaska. Eh bien moi, j'ai fait un voyage où j'ai pu observer les États-Unis à partir de Cuba.

Je veux bien sûr parler de la base américaine de Guantanamo, avec sa sinistre prison pour « combattants irréguliers » d'Al-Qaïda soustraits à la

3.5 a et b Souvenir de mon premier voyage à Cuba en 1968 : le culte du Che Guevara, au lendemain de sa mort, commençait à peine. Nul ne soupçonnait l'ampleur qu'il prendrait. Pour ma part, j'étais heureux de voir que le régime castriste honorait ce révolutionnaire, que pourtant Castro a laissé mourir en Bolivie ! Mais la propagande a ses raisons...

protection de la Convention de Genève. La semaine d'avant,, j'ai escaladé une haute tour, afin de lorgner, à partir du pays des Castro, ce territoire contesté occupé par des *Marines* armés jusqu'aux dents.

Quel contraste insolite ! D'un côté, le pays communiste blasé, avec son idéologie soporifique, avec ses voitures vétustes et son armement d'une autre époque, des chars soviétiques T-34 – qui ont peut-être déjà servi contre les nazis. De l'autre, la plus puissante armée du monde, ultra-dynamique et équipée avec le nec plus ultra de la technologie, à l'image d'une nation hyperactive dopée au capitalisme sauvage et au « rêve américain », malgré les dettes et les châteaux de cartes financiers des loups de Wall Street. Entre ces deux mondes, une clôture électrifiée de 30 km et un champ de mines.

Quelle ironie que Guantanamo soit aussi le lieu célébré dans la fameuse chanson cubaine « Guantanamera », adaptée dans toutes les langues, y compris dans la nôtre par Joe Dassin.

Comme je vous le disais, j'ai escaladé une tour que les Cubains venaient tout juste de dresser, afin d'apercevoir, avec mes jumelles, le Guantanamo américain. Je puis donc me targuer d'être l'un des premiers curieux à avoir vu ce vestige de la guerre froide qui s'est reconverti à la « War against Terror » de George W. Bush, puis d'Obama, puis de Trump, après le 11 septembre 2001.

J'ai pu visiter une partie de la base cubaine et photographier subrepticement des militaires pendant leurs exercices. Il y a quelques années à peine, jamais les autorités du pays n'auraient osé utiliser leurs bases militaires comme attractions.

Dans un autre ordre d'idée : la visite de la baie des Cochons, dans un autre recoin de l'île, est d'une grande insignifiance. Tous les vestiges du combat de 1961, où les Cubains castristes ont repoussé les Cubains pro-américains, ont été enlevés et un hôtel y a été érigé. Le ministère du Tourisme serait-il devenu plus puissant que celui de la Défense ?

Autres lieux significatifs que l'on peut visiter : la caserne de Moncada à Santiago, que Castro a attaquée le 26 juillet 1953 ; la ville coloniale de Santa Clara, où se trouve le train militaire dynamité par le Che Guevara – qui a ainsi cassé les reins des troupes de Batista. C'est dans cette ville qu'un mausolée en l'honneur du Che a été érigé.

CUBA ET SES DOCTEURS

Je me souviens d'une entrevue que m'avait sollicitée feu le sénateur Jacques Hébert, de retour de Cuba où, ayant subi un malaise cardiaque, il avait été traité avec grands soins. C'était en 2001, je crois. Jacques Hébert tenait à rendre hommage au personnel médical cubain qui l'avait si bien soigné.

Comment ce pays si pauvre, et à bien des égards une république de bananes, pouvait-il offrir une couverture santé universelle d'une aussi grande qualité?

Il y a deux semaines, j'ai eu l'occasion de tester ce système tant vanté. Aux prises avec un douloureux malaise au point d'en perdre connaissance, j'ai eu la chance que mon l'hôtel, le Melia, de Santiago de Cuba, puisse me trouver une femme médecin en cinq minutes. Une piqûre et vite à l'hôpital international, en ambulance. Immédiatement le docteur Mariano m'administre un traitement. En trente minutes, me revoilà sur pieds. Je lui demande: « Combien vous dois-je? » Il semble surpris. « Rien, me répond-il. Ici, c'est gratuit. »

Bizarre lorsqu'on sait que normalement, s'il y a quelque chose qui n'est pas couvert dans un pays du tiers-monde, c'est la santé – à plus forte raison pour les étrangers de passage.

Propagande par les faits:

Avec un modeste budget, les médecins et les infirmières sous-payés à 30 $ par mois font la gloire de ce pays.

Les universités cubaines ont tellement formé de médecins que des surplus de blouses blanches sont « exportés » outre-frontière. Cette matière grise sert de monnaie d'échange contre des produits manquants, notamment du pétrole.

Quelque 40 000 Cubains, dont la moitié se compose de médecins, œuvrent à l'étranger dans plus de cent pays pauvres. C'est ainsi que Cuba cultive des amitiés politiques. C'est de la propagande par les faits.

LE CUBA JOVIAL

Le personnel hôtelier cubain aurait souvent besoin de leçons de politesse et de sourire. Pourtant, dès que l'on sort de son tout-inclus, on se rend compte que les Cubains forment un peuple heureux et exubérant. J'aime à me promener dans les rues des villes pour constater l'accueil presque toujours chaleureux. Autant les employés d'hôtel ont l'obsession du pourboire, autant le Cubain moyen, si pauvre soit-il, est généreux. Mon espagnol rudimentaire me permet des petites conversations impromptues.

Cuba est l'un des pays les plus sécuritaires des Amériques; c'est l'un des bons côtés de ce régime autoritaire qui fait régner l'ordre. Se promener dans les quartiers populaires au Mexique ou au Brésil, c'est presque s'assurer de se faire agresser ou voler; pas ici. Pourquoi ne pas en profiter pour aller à la rencontre des gens et pour sortir de sa « réserve touristique »? Les rues sont bruyantes; la musique préférée des Cubains est rythmée et dansante. Comment ne pas avoir le sourire?

MESSIE MALGRÉ LUI : LE CAS DU CHE

L'homme se fabrique des dieux petits et grands, des idoles, des saints, des légendes, des héros, etc. Certains manient le hockey comme Maurice Richard. D'autres le chapelet tels que le saint Frère André. Et d'autres l'AK-47 comme Ernesto « Che » Guevara. Sur les traces de ce dernier en Bolivie, j'ai visité le bled perdu dans la jungle où l'idéaliste révolutionnaire a trouvé la mort, exécuté.

Le temps passe. Il ne reste rien de la haine des autorités boliviennes pour le Che. Au contraire, La Paz a nommé une route en son honneur. Et moi, suis-je fâché contre la Bolivie d'avoir éliminé mon héros ? Non, je me dis que c'était d'autres gens, à une autre époque, dans d'autres circonstances. Bref, la Bolivie ne se sent plus fière ou coupable d'avoir liquidé le nouveau messie qu'est devenu le Che.

Pensons aussi à Louis Riel. Qui enrage encore en songeant à sa pendaison ? Et du côté du Canada, on l'a reconnu, non plus comme un ennemi de la Couronne à abattre et à exécrer, mais comme un héros.

Pensons aussi à Dallas – pour prendre le cas d'une ville – et à sa honte du 22 novembre 1963. L'assassinat de John F. Kennedy humiliait la ville, et le reste du pays la pointait du doigt. Plusieurs habitants mentaient sur leur lieu d'origine lorsqu'ils voyageaient. Cette page d'histoire a été tournée.

En Bolivie, même avec Evo Morales, le premier président amérindien du pays, la misère persiste. Pauvre Che ! Il n'a pas accompli la Révolution. Et il est devenu une icône devant laquelle, comme avec la Vierge ou le Christ, les malheureux allument des lampions. Au lieu de bouleverser les manies religieuses du petit peuple docile, il les a, par l'idolâtrie qu'il suscite, confortées.

LA HIGUERA, LA VILLE SAINTE DU CHE

Le destin s'est assuré de faire mourir Che Guevara dans un village sinistre et constamment mangé par le brouillard : La Higuera, en Bolivie.

La vie, ici, au sommet de la cordillère des Andes, se déroule dans un nuage, littéralement. La statue du Che qui se détache plus ou moins nettement dans la brume donne l'impression de pouvoir s'animer à tout moment. Le lieu est si fantomatique, et l'oxygène si rare, que l'on est étonné de tomber sur des habitants aussi gentils envers les voyageurs. Ce bled compte à peine cent villageois, et presque autant de chiens affamés qui passent leur vie à quémander de la nourriture. Ironie du sort : ce que tout le monde boit ici, dans ce hameau au milieu de la jungle, où l'agriculture de subsistance est la seule industrie, c'est du Coca-Cola… signe que le guérillero argentin n'a pas eu gain de cause.

C'est donc ici qu'Ernesto Che Guevara a été exécuté par l'armée bolivienne, dans une école qui a été détruite, devenue par la suite un musée – sans intérêt, malheureusement. Le révolutionnaire était sur le point de s'emparer du village de Pucara lorsqu'il a été blessé d'une balle à la cheville, au pied d'un arbre. De là, on l'a transporté à La Higuera pour décider de son sort… qui fut la mort : deux balles au cœur.

Celui que plusieurs considèrent comme un « Christ moderne » a par ailleurs son propre Judas : la personne qui l'a dénoncé à l'armée, prise de remords, est morte de peine en apprenant « qui » elle venait de tuer.

3.6 a et b Dans le fantomatique hameau de La Higuera, où le Che a été exécuté, un mémorial à son honneur se perd dans la brume. Sa statue semble dire : adieu, la vie. La brume quasiment permanente crée une atmosphère sinistre.

La Higuera a été « sanctifiée » par la mort de l'illustre personnage. Chaque bâtiment comporte des slogans, des décorations, des éléments concernant le Che. Quelque quatre mille admirateurs viennent ici – au milieu de nulle part – chaque année.

La vie est rudimentaire à La Higuera. L'école enseigne jusqu'à la troisième année seulement. Pas d'église. Pas de chauffage. C'est fou de penser que ce hameau perdu s'est soudainement retrouvé sur la carte grâce au sacrifice d'un homme qui, loin de réussir à soulever le peuple, s'est trouvé à devenir un nouveau « saint que l'on prie ». Le Che n'a certainement pas cru que, vivant, il susciterait l'indifférence des paysans, mais que mort, il exciterait leur dévotion.

MACABRE CONFÉRENCE DE PRESSE

Vallegrande, une ville de quelque cinq mille habitants, serait sans intérêt n'eût été un événement historique saugrenu : une conférence de presse avec un mort, qui n'est nul autre qu'Ernesto Che Guevara.

Le Che a été exécuté deux jours plus tôt dans le village de La Higuera ; on hésite à inviter les journalistes internationaux dans ce trou perdu au milieu de la jungle. On a donc opté pour l'hélicoptère, question de l'apporter dans une ville plus accessible. On l'a préparé : on lui a taillé la barbe, on l'a lavé. Bref, on l'a rendu présentable pour l'étonnante conférence de presse posthume.

Des dizaines de journalistes du monde entier ont pu voir et photographier le corps. La dépouille du Che était disposée sur un lavoir. Ces photos ont fait le tour de la planète. Le lieu dit est aujourd'hui couvert de graffitis admirateurs à l'égard du Che et vengeurs à l'endroit du pouvoir. À ce que je sache, c'était – et ça reste – la seule « conférence de presse » de ce genre de l'histoire médiatique.

Les dirigeants boliviens de l'époque voulaient montrer le Che mort dans l'espoir de tuer sa légende. Sinon, qui aurait cru à son décès ? Bien sûr, on sait que cette mort précoce l'a catapulté au rang des idoles. Son visage en effigie est l'un des symboles les plus célèbres du monde... et des compagnies font de l'argent en le commercialisant !

Un peu plus loin, sur un ancien terrain vague, on a redécouvert les cadavres du Che et de ses compagnons, eux aussi exécutés à La Higuera. Le gouvernement espérait qu'ils seraient oubliés. On leur a fait un monument funéraire appelé « fosse des guérilleros ». Quant aux squelettes du Che et de ses compagnons d'infortune cubains, ils ont été rapatriés par La Havane et sont inhumés à Santa Clara.

3.7 L'ancien lavoir de l'hôpital de Vallegrande est l'un des plus célèbres du monde. Il a été le théâtre improvisé de la morbide conférence de presse posthume du Che.

LA VIERGE ET LE CHE

Émile Zola trouverait de quoi écrire au sujet des villes minières d'Amérique latine. Car si c'est du ventre de la terre que l'on extrait des richesses, les ouvriers qui s'acharnent à ce labeur en voient rarement la couleur.

Pendant un long séjour en Bolivie, j'ai voulu aller rencontrer ces gens, à la fois démunis et intrépides, qui travaillent sous terre, au péril de leur vie, sous le sol de Potosi.

Juste avant d'y arriver, je me suis arrêté à Pulacayo, qui fut la deuxième mine d'argent en importance du continent américain. Aujourd'hui presque abandonnée, la ville, où habitaient plusieurs milliers de gens, n'en compte plus que 1200... Un vrai décor d'apocalypse ! Des bâtiments monstrueux abandonnés depuis les années 1960 tombent lentement en ruine. Les gens semblent malheureux. Même les chiens errants semblent plus tristes qu'ailleurs.

Puis, une fois rendu à Potosi, je rencontre des mineurs. Avec eux, je descends jusqu'à une profondeur de 120 mètres, où je fais une découverte étonnante ! Au fond de la mine, dans un étouffant couloir étroit et obscur, une lueur provenant d'une alcôve taillée dans le roc irradiait la chaleur et nous faisait sentir son odeur de chandelle. Il y avait là un petit autel dédié à la Vierge Marie et... à Che Guevara !

Incroyable ! Ces hommes vénèrent ce révolutionnaire communiste à l'égal de la mère de Jésus ! Impossible de prendre cette icône en photo ; pas de pile pour la lumière. Les mineurs s'agenouillent pour prier. Un demi-siècle après la mort du Che, dans ce pays laborieux et hautement religieux, les humbles travailleurs continuent de se souvenir de lui. Ce Christ révolutionnaire côtoie souvent le crucifix. Chez les mineurs de Potosi, sa personnalité s'est ajoutée au panthéon catholique.

Dans un couloir soutenu par des madriers où l'eau suinte et tombe partout au goutte-à-goutte, j'arpente péniblement le chemin que trace une voie ferrée, en suivant mes guides qui me présentent leur environnement. Je n'ai pas pu faire autrement que de penser à tous ces cataclysmes qui ont tué des mineurs : éboulements, coups de grisou, inondations soudaines, etc.

Même si la condition sociale du mineur est peu enviable, je trouve difficile de ne pas admirer le courage de ces gens qui savent qu'ils peuvent mourir n'importe quand. Les mineurs me racontaient tout le bien qu'ils pensent du Canada et de la situation de leurs comparses d'ici, mais ils m'ont aussi dit que les compagnies canadiennes qui exploitent des mines dans leurs pays s'alignent sur les précaires conditions boliviennes.

Quand on ressort de la mine où l'on étouffe, on respire profondément l'air frais. Quel luxe !

3.8 Ces mineurs boliviens vont chercher dans le sol de Potosi le métal qui a fait la fortune de leur pays : l'argent. Ces travailleurs pour qui le danger de mourir fait partie du quotidien prient souvent la Vierge, tout comme nos ancêtres marins, mais ils ajoutent aussi des requêtes au Che.

BOLIVIE, CHACALTAYA, STATION DE VERTIGE ET DE SKI

Je viens de vous parler de la mine étouffante de Potosi. Eh bien, j'ai aussi manqué d'air par la faute de l'altitude. À Chacaltaya, en Bolivie – un des lieux où se sont cachés les derniers compagnons du Che pendant leur cavale –, il n'y a presque pas d'air à respirer tellement c'est haut. Mon ami et fréquent camarade de voyage, Yves Légaré, sortit de son sac sa bonbonne à oxygène et son masque pour éviter de s'évanouir.

Nous sommes à 5300 m d'altitude. À partir de La Paz, notre taxi fait un périple de trente-cinq kilomètres qui met son moteur à l'épreuve sur un chemin casse-cou en lacets, jusqu'à un sommet où la température est de 3 degrés Celsius. Le trajet prend deux heures, à une vitesse moyenne de 17,5 km/h!

3.9 Cette station de ski en altitude, Chacaltaya, a servi hors-saison, en octobre 1967, de refuge aux survivants en fuite de l'équipée funeste du Che en Bolivie, où il rêvait de déclencher une révolution... avant de se heurter à l'apathie et à la soumission de la population générale. Une expérience frustrante que certains patriotes ont connue chez nous! Ce chalet à la position vertigineuse est hanté par son histoire de lieu culte du ski.

3.10 Un bassin thermique sulfureux dans le Siloli, un désert de sel.

Me voici dans un lieu improbable : celui de l'ancien plus haut domaine skiable du monde, construit par des Allemands – car souvenez-vous de la proximité de Berlin et de La Paz dans les années 1930. La fonte du glacier a mis fin à cette institution qui faisait venir des skieurs du monde entier. Dès son ouverture, en 1939, Chacaltaya a attiré de nombreux mordus de ski. En 1982, le terrain est toutefois devenu impraticable. Finalement, en 2009, le glacier a totalement disparu. Seuls les curieux dans mon genre viennent ici, mais franchement, ça en vaut la peine. On ressent une drôle de sensation à entendre le vent siffler dans les vitres de ce chalet qui fut jadis un lieu de plaisir, de musique, de flirt au son d'un foyer crépitant. La vue est extraordinaire : on voit La Paz, capitale de la Bolivie, au loin, et l'Altiplano, qui est le dessus plat de la cordillère des Andes. Tout autour, des montagnes noires comme du charbon saupoudrées d'une neige immaculée. Malgré la magie de ces lieux remplis de fantômes, avec la rareté de l'oxygène et la sensation de vertige, j'avais hâte de redescendre à un niveau plus « normal ».

BOLIVIE, SALVADOR DALÍ ET LE DÉSERT DE SEL

Imaginez un pays sorti tout droit de l'esprit du peintre excentrique Salvador Dalí. Eh bien, il existe en Bolivie, près de la frontière avec le Chili, des déserts de sel peuplés de flamants roses (sans blague !), et l'endroit a pris le surnom de « désert de Dalí ». Un désert de sel ? Oui. À perte de vue, il n'y a que du sodium. Il y a aussi des lacs dont les plages ne sont pas faites de sable, mais de sel. On a vraiment l'impression d'être dans un univers surréaliste. La terre minéralisée libère des essences dans plusieurs de ces plans d'eau, qui deviennent rouges, violets, émeraude ou bleus. Quelle joie pour le photographe ! À la laguna Colorada, les montagnes aux sept couleurs, en raison de la présence de phytoplancton qui réagit à la lumière du soleil, nous rappellent des tableaux du maître.

Bizarrement, il y a énormément de Français, en Bolivie, adeptes de randonnée, d'escalade, de vélo, de moto, etc. Dans les hôtels rudimentaires et les refuges des réserves naturelles, le personnel parle souvent le français du fait de l'énorme proportion de touristes qui s'expriment dans cette langue. Non loin de là, il y a un cimetière de trains, qui rouillent sur place, au milieu de nulle part. Jadis, ces wagons transportaient le minerai vers le Pacifique avant que l'accès à cet océan ne lui soit barré par le Chili à la suite d'une guerre. Dans ce recoin du désert, on trouve des montagnes serties de cactus géants, certains atteignant trente pieds de hauteur, les plus gros du monde. On dit que ce sont les oiseaux qui ont ramené les graines d'Argentine et qui ont ensemencé cette région.

3.11 Les montagnes du désert de Dalí ressemblent à des coups de pinceau du maître. Certains voient des moustaches dans ces dunes. De là l'association avec le peintre.

3.12 Il y a belle lurette que cette locomotive n'a pas craché sa vapeur, mais les trains fantômes font le bonheur de milliers de visiteurs en Bolivie, attirés par ces vestiges d'un passé industriel glorieux.

4 LE MONDE ISLAMIQUE

L'APRÈS BEN LADEN AU PAKISTAN

L'avion en provenance du Caire me dépose dans un Pakistan agité, le 3 mai 2011, au lendemain de l'exécution de Ben Laden sur le territoire de ce pays. Humiliation nationale. L'ennemi public numéro un se cachait à Abbottabad, et ce n'est pas le Pakistan qui l'a déniché, mais les États-Unis qui ont eu le culot d'ignorer le droit international.

J'arrive à Karachi, l'ancienne capitale. Difficile de circuler dans le tohu-bohu de l'après-capture de Ben Laden. Certains manifestent leur joie ; d'autres, leur colère. Ça hurle et klaxonne. La tension est palpable. Le touriste que je suis s'assure de parler français pour bien montrer qu'il n'est pas un « Yankee ». Je parviens à voir quelques lieux qui rappellent la grandeur de l'Empire britannique, comme l'ancien palais du gouverneur.

Ville peu attrayante, Karachi est une sorte de boulevard Taschereau oriental parsemé d'étals et de vendeurs de tout ce qui est imaginable. Un peu à l'écart de la cité, sur le bord de la mer – la même mer où l'armée américaine vient de larguer la dépouille mortelle de Ben Laden –, des charmeurs de cobras pratiquent ce vieil art qui fascine les Occidentaux depuis toujours, et ça marche ! C'est effectivement très impressionnant à voir.

4.1 À moto, la pudeur est plus importante que la sécurité, ici. Le voile est presque obligatoire, mais le casque est très optionnel, même pour les enfants. Comme le suggère le regard de la femme à l'arrière de la moto, les étrangers étaient vus avec suspicion au lendemain de l'assassinat de Ben Laden.

PAKISTAN, PAYS OÙ NE PAS ALLER

Karachi est une des mégalopoles que j'ai le moins aimé visiter. En tout, je n'y ai passé que deux nuits. Et je ne compte pas y retourner.

Trouver un guide compétent s'est avéré difficile. Le peuple n'est pas habitué aux étrangers, il se montre méfiant, souvent hostile. Heureusement que mon hôtel a fini par me débusquer un chauffeur de taxi pour me trimballer dans les rues pleines de véhicules militaires qui multipliaient les barrages routiers pour prévenir d'éventuelles manifestations violentes pro-Ben Laden.

4.2 Voilà une ville laide, bétonnée et étouffante, qui aurait grand besoin d'un verdissement. Karachi n'est vraiment pas un paradis. Surtout au lendemain de l'assassinat de Ben Laden.

À Karachi, grande ville plate et rectiligne, chaque industrie a son secteur.

Par exemple, si vous cherchez un meuble, vous allez dans la zone des meubles: il y a là des centaines et des centaines de boutiques de meubles presque identiques. Vous voulez un coiffeur ? Il y a une zone avec une centaine d'entre eux. Entassés les uns contre les autres, ils se battent pour vous avoir comme client.

C'est le principe du marché appliqué à l'extrême !

Finalement, la seule attraction qui m'a plu, c'est la plage. En plus des dresseurs de cobras dont je vous parlais plus tôt, on y trouve aussi des éléphants drapés de couleurs chatoyantes, des singes, des dromadaires, des chevaux et des femmes qui se baignent en burkini. Difficile de s'imaginer que ce territoire a longtemps fait partie de l'Inde, qui est tellement plus féerique.

ÉGYPTE : ROYAUME DE LA PROPAGANDE

L'Égypte a trois mille ans, mais sa population est si jeune que son énergie est... explosive. On ne se sent jamais tout à fait en sécurité ici.

En 1974, j'ai assisté à une scène marquante. À l'aéroport, un soldat américain se moquait de musulmans en train de faire la prière, les fesses en l'air, en direction de La Mecque. Il riait en pointant du doigt et en prenant des photos. Sans doute voyait-il cela pour la première fois. Un des hommes en prière se leva et, en hurlant *Allah akbar !*, planta un couteau dans les parties intimes du soldat, qui hurla de douleur. L'agresseur a pris la fuite. La police est intervenue. Tout ce beau monde, le soldat et les musulmans, étaient extrêmement jeunes, à peine des adultes. C'est la seule fois de ma vie que j'ai vu quelqu'un se faire poignarder.

Le peuple égyptien est fougueux, imprévisible. Il rêve de recouvrer son prestige pharaonique. Il aspire à la puissance de la modernité. Mais les gens sont si conservateurs, si imbus de conformisme islamique, que la situation est sans espoir. Ce que les naïfs ont appelé le « Printemps arabe », qui a commencé en Tunisie, mais a culminé ici, sur la place Tahrir, était un de ces débordements de masse incontrôlables. Un nombre incroyable de femmes se sont fait violer par cette foule – prélude aux incidents de Cologne et dans les pays d'Europe qui ont reçu des quantités de réfugiés musulmans en 2015. Cette révolution n'avait aucune idée de ce qu'elle réclamait. Les islamistes ont momentanément pris le pouvoir. Est-ce que cela valait tous ces applaudissements ? On est de retour avec la junte militaire au pouvoir.

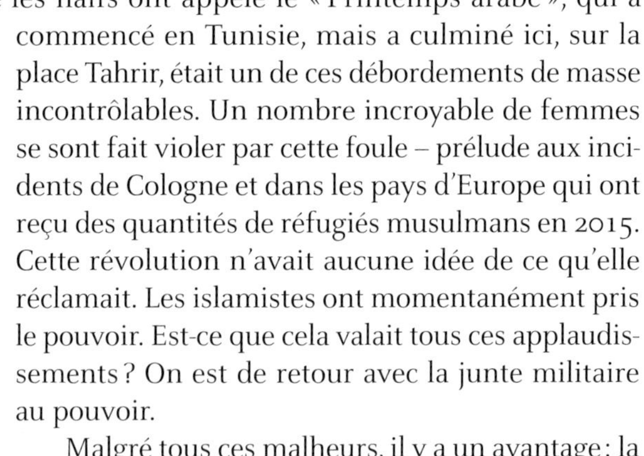

Malgré tous ces malheurs, il y a un avantage : la baisse des prix. Quand le niveau de sécurité baisse, les prix tombent. Avis aux aventuriers !

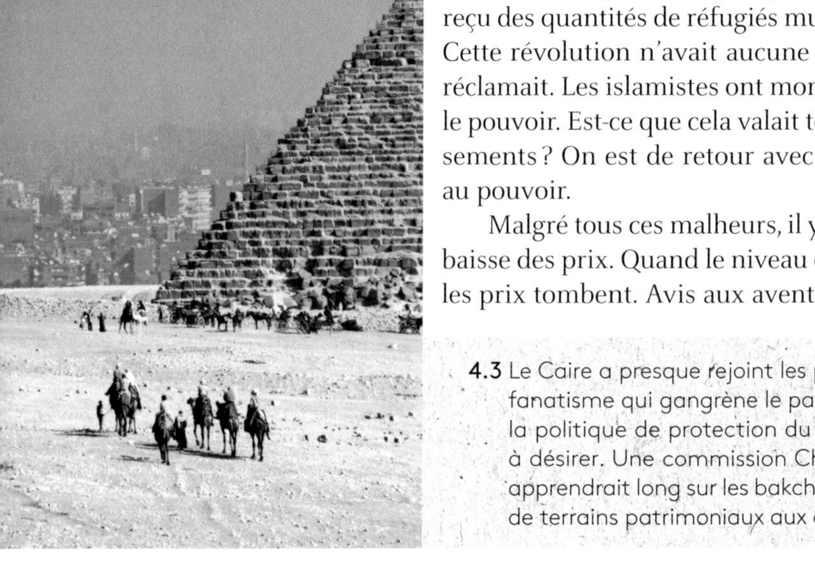

4.3 Le Caire a presque rejoint les pyramides. Il n'y a pas que le fanatisme qui gangrène le pays. Il faut bien admettre que la politique de protection du patrimoine historique laisse à désirer. Une commission Charbonneau cairote nous en apprendrait long sur les bakchichs qui ont entraîné la vente de terrains patrimoniaux aux abords des pyramides...

ÉGYPTE : UN APRÈS MOUBARAK DIFFICILE

Depuis la chute d'Hosni Moubarak, en 2011, l'Égypte n'a jamais pu retrouver la confiance des touristes du monde. Pourtant, elle a tellement à offrir ! Quand j'y étais, en mai 2011, la CIA venait de débusquer et d'assassiner Oussama Ben Laden au Pakistan. Cela se traduisait au Caire par des manifestations peu rassurantes pour les voyageurs. La populace incontrôlable donnait du fil à retordre aux autorités policières.

Au lieu de déguerpir du pays, je me suis réfugié hors de la capitale, à Karnak-Louxor, le joyau de la culture pharaonique ancestrale. On était si peu de touristes que les files d'attente étaient inexistantes et que les marchands faisaient des pieds et des mains pour nous vendre des babioles à prix réduit.

Rendu dans la Vallée des rois, on se souvient qu'avant le mahométisme, des femmes ont gouverné le pays, dont Hatchepsout, à la tête d'armées qui ont agrandi le territoire jusqu'en Somalie. Quand même, cette reine a exigé que son sarcophage la montre arborant une barbe, question de ne pas sembler « faible » aux yeux de ses soldats…

4.4 Les touristes occidentaux ayant déserté l'Égypte depuis le Printemps arabe, ce sont des gens du pays qui profitent des activités. Ici, deux Égyptiennes, dont une ultrareligieuse, s'amusent ferme sur le dos d'un dromadaire.

YÉMEN, LE PARADIS DU FUSIL

Nulle part sur terre, à ce que je sache, y a-t-il autant d'armes, de fusils, de carabines et de mitraillettes qu'au Yémen. Amoureux de western, tenez-vous-le pour dit : même s'il n'y a pas de cactus ou de criquets qui chantent par ici, on se croirait dans un film de Sergio Leone, avec ce décor de sable et de roc ! Bien sûr, les odeurs trahissent la culture locale, qui a du goût pour les épices savoureuses. Quiconque a visité le Yémen en revient enivré par les parfums de menthe, d'encens, de thé, etc. Dommage que ce pays soit touristiquement verrouillé. On comprend pourquoi quand on voit des AK-47 dans des mains d'enfants. Quand je prenais des photos des gens, ceux-ci pointaient un fusil vers moi ; ils ne faisaient pas cela méchamment, ils souriaient, ils voulaient seulement me prendre en joue pour faire une photo spectaculaire. J'ai vu tellement de mitraillettes là-bas qu'elles me semblaient banales après quelques jours ; j'étais tout étonné que les gens ne soient pas armés quand j'ai remis les pieds dans un pays moins violent.

Le drame du Yémen, c'est d'avoir gardé une mentalité archaïque, à l'extrême, tout en se munissant d'armes modernes. Certaines agences spécialisées audacieuses offrent des séjours – forcément aventureux – dans les terres de la mythique reine de Saba, qui fut l'amoureuse du roi Salomon. Certains monuments dont la reine avait commandé la construction tiennent toujours debout.

4.5 Tout le monde est armé, au Yémen. J'ai eu la frousse quand on m'a mis en joue au moment de prendre cette photo ! C'était heureusement pour rire. Pour me permettre de prendre une bonne image… Remarquez la main tendue d'un des hommes qui veut de l'argent.

4.6 Ce Yéménite de 11 ans est chargé de protéger sa famille et son bétail avec sa mitraillette, qui n'a rien d'un jouet. Imaginez les difficultés du gouvernement qui essaie de diminuer le nombre d'armes en circulation !

LES FEMMES ABSENTES

Au Yémen, la femme adulte n'a le droit de regarder qu'un seul homme dans les yeux : son mari. Les femmes mariées ou célibataires issues de milieux aisés portent le sharshaf, un ensemble noir originaire de Perse, couvert d'une cape noire, l'abaya. Lorsque j'ai tenté de prendre en photo trois de ces « corneilles noires » avec l'espoir d'entrevoir leurs yeux, un jeune homme armé d'une jambiya, le poignard traditionnel, m'a rapidement attrapé par le collet pour m'engueuler. Chose paradoxale, cet habit austère et ennuyeux des femmes riches contraste avec celui, très coloré et magnifique, des femmes de basse condition. Le sîtara, orné de motifs rouges et bleus, en provenance de Turquie, donne au pays des couleurs plus sympathiques.

DÉCOUVERTE

Dans une autre région du Yémen, il y a des communautés moins maladivement possessives de leurs femmes. Et le seul fait de voir des femmes sans voile me semble presque choquant après l'habitude de n'en voir aucune, sinon drapées de noir.

Les bijoux yéménites ornent ces jeunes femmes sans aucune modération. Je ne peux m'empêcher de trouver cette ostentation un peu bling-bling.

Malgré la relative permissivité culturelle, pas question de croiser le regard de ces femmes. Difficile de les prendre en photo puisqu'elles sont toujours entourées d'hommes armés qui se sentiraient insultés si quelqu'un essayait d'en saisir l'image. Une femme photographe aurait-elle plus de succès ?

4.7 L'emplacement symbolique de cette maison de l'imam (sorte de presbytère musulman) en dit long. Elle est érigée sur un piton rocheux afin de surplomber toutes les maisons de manière à imposer l'autorité morale.

IRAN, BERCEAU DE LA RÉVOLUTION ISLAMIQUE

Quelle tristesse que cette tyrannie islamique qui ternit le génie perse, tue son esprit et fait régner la bêtise et l'hypocrisie de la « police de la vertu » qui arrête quiconque lui déplaît ou sort un peu du moule ! Une femme a-t-elle une couette qui dépasse de son foulard ? Arrestation ! Amende pour non-conformité.

Quand ma guide, qui portait une affiche à mon nom, m'a reçu à l'aéroport, j'ai voulu lui serrer la main – elle était gantée de noir jusqu'aux coudes pour ne pas laisser voir sa peau –, et elle s'est affolée : « Ne me touchez pas ! » Elle me demandait de marcher toujours un peu en avant d'elle – parce que je suis un homme et que la bienséance m'oblige à la mener, comme si c'était moi le chef – alors même que c'est elle, la guide, bien sûr, qui me dit où aller.

Cette obsession de réprimer le sexe a l'effet paradoxal de tout sexualiser. Serrer la main, ou effleurer un bras, devient une « avance sexuelle » punissable.

J'ai beau déplorer l'islamisme, je dois y reconnaître un mouvement politique majeur. Un des moments les plus intenses et angoissants de ma vie de voyageur fut une manifestation antiaméricaine à Qom, la ville sainte d'Iran, où plus de cent mille militants barbus ou vêtus de niqabs hurlaient, avec une haine dont on n'a pas l'habitude chez nous, des slogans contre l'Occident. J'ai tenu à visiter la demeure de l'ayatollah Khomeiny qui, par sa sobriété extrême, m'a rappelé la cellule du Frère André.

Si vous aimez l'histoire, n'oubliez pas qu'Alexandre le Grand a laissé sa trace par ici. Pour se venger des Perses qui avaient brûlé l'acropole à Athènes, le conquérant macédonien a détruit Persépolis, dont les ruines encore aujourd'hui nous enchantent et nous parlent du génie perdu de ce pays que ses ayatollahs dominent.

4.8 Les mosquées, haut lieu de fanatisation, sont souvent d'une beauté étourdissante. Bien sûr, pas question de laisser un mécréant comme moi entrer à l'intérieur. L'esthétisme architectural était incomparable chez les Perses. L'Iran a conservé ses dômes à bulles et sa langue, le farsi.

L'IRAN ISLAMIQUE : LE PAYS QUI CACHE SES FEMMES

Quand j'ai voulu retourner en Iran en 2011, on m'a reviré de bord ! On se méfie des journalistes, là-bas. En 2002, en voyage à Téhéran, j'avais envoyé un topo radio pour CKAC, et les autorités de cette république islamiste m'avaient reproché d'avoir écrit seulement « photographe » sur mon visa. La technologie m'a rattrapé. Un pays qui reçoit si peu de touristes peut-il se permettre d'être aussi rigide ?

Dire que Téhéran est une belle ville serait exagéré. C'est une fournaise où la circulation anarchique rappelle les manifestations monstres de femmes en noir qui décriaient le Grand Satan qu'étaient, du point de vue des islamistes, les États-Unis d'Amérique, et où tout le monde semble pourtant rêver d'émigrer ! « Vous êtes chanceux ! » m'ont dit plusieurs Iraniens qui me demandaient d'où je venais.

4.9 Les tenues noires qui font des femmes de grands corbeaux sont à la mode même quand le mercure atteint 40 degrés. Elles se tiennent près des grandes fontaines pour se rafraîchir.

LES BEAUTÉS LIBYENNES ÉPARGNÉES PAR LE PRINTEMPS ARABE

En 2006, à Noël, je me suis enfui du Québec pour aller me perdre dans un pays fermé et dirigé alors par un dictateur flamboyant : Mouammar Kadhafi. D'immenses affiches le montraient avec ses verres fumés et lançant un regard vers le haut. On ne se doutait pas que, cinq ans plus tard, à la faveur du Printemps arabe, Kadhafi serait renversé. Pas seulement par son peuple, mais avec l'aide des armées française et britannique trop contentes de se débarrasser de cet exaspérant personnage.

N'entrait pas là qui voulait. J'ai dû aller à deux ou trois reprises au bureau libyen, situé à Ville Saint-Laurent, pour obtenir un visa. Chaque fois, on rouspétait au sujet de la photo, d'une chose ou d'une autre, on cherchait des problèmes. À Tripoli, ironie du sort, le douanier n'a même pas daigné examiner mon visa !

Une fois entré, le ministère des Affaires extérieures nous attribue des guides s'exprimant bien en français, et fort éduqués. La Lybie est le pays le plus instruit d'Afrique du Nord. Malgré ses défauts, Kadhafi, émule de Castro, misait sur l'éducation. Les femmes étaient nombreuses, parfois majoritaires, à l'université. Cuba, par ailleurs, prêtait ses médecins aux Libyens, sans doute en échange de pétrole.

Anecdote au sujet de la mentalité égalitaire : dans un ancien hôtel, je demande s'il y a un service de cirage de souliers. Oui, me dit-on. Un jeune homme m'apporte un chiffon et une rondelle de cire, qu'il me met dans les mains. Je m'étonne qu'il ne cire pas lui-même mes chaussures. « Ici, Monsieur, un homme ne s'abaisse pas aux pieds d'un autre homme », m'a-t-il rétorqué.

Une fois la capitale visitée de long en large, une ville grise et laide, je note que malgré la main de fer du chef, les trottoirs sont sales. Il y avait des déchets partout. Je me souviens m'être dit que, franchement, tant qu'à contrôler un peuple, pour le garder dans la docilité, aussi bien l'obliger à ramasser ses déchets, non ? Puis, nous avons plongé dans le désert. Contrairement aux autres pays du Maghreb, les pétrodollars ont changé la vie des Libyens du désert, dont la hausse du niveau de vie a éliminé les caravanes de dromadaires.

Il est impressionnant de voir les ruines gréco-romaines (et byzantines) souvent très bien préservées. Dommage que la situation politique a de quoi effrayer les touristes. Les ruines de Leptis Magna, qui rivalisaient de faste avec Carthage. Admirez cette porte qui nous mène vers un théâtre de

15 000 places où eurent lieu sous les yeux de Trajan des combats d'animaux sauvages. Des archéologues français fouillaient le site d'Erythron. Après la chute de Kadhafi, l'équipe française est partie pendant un an. De retour en 2012, elle a eu la belle surprise de découvrir qu'il n'y avait pas eu de pillage ! Les Libyens du département des Antiquités s'étaient assurés, les armes à la main, que personne n'y touche.

4.10 Les ruines de Leptis Magna en imposent encore aux quelques rares visiteurs qui s'y rendent.

LE QATAR

Le Québécois qui visite Cuba ou la République dominicaine se sent riche. Mais quand il voyage au Qatar, c'est le contraire. Le Canada a beau appartenir au G8, on voit bien que ce club sélect fait fi des pays du golfe Persique qui baignent dans le sable et le pétrole.

Le Qatar est un pays qui nous agace. N'a-t-il pas tenté de nous enlever les bureaux de l'Organisation de l'aviation civile internationale (OACI) tout en ayant les yeux sur notre Grand Prix ? En France, un richissime émir qatari a acheté le prestigieux club de soccer Paris Saint-Germain. En 2022, le Qatar sera l'hôte de la Coupe du monde et promet que la chaleur écrasante et les tempêtes de sable ne vont pas gâcher le spectacle.

En déambulant dans le centre-ville de Doha, on est confronté à des édifices qui font passer la Place Ville-Marie pour un symbole du tiers monde. La population locale est distante, parfois arrogante, et les gens répugnent à se laisser photographier. Les hommes vêtus d'étoffes d'un blanc immaculé montrent leur opulence. Ce qu'ils ne montrent pas, ce sont leurs centaines de milliers de quasi-esclaves, originaires de l'Inde, du Bangladesh, des Philippines, qui font tout le dur travail pour eux et qui peinent sur d'immenses chantiers. La police est d'une sévérité implacable. Malheur à vous si vous critiquez le régime monarchique ou la religion. Les centres commerciaux sont ultramodernes, avec parfois des canaux artificiels et des gondoles pour transporter les clientes qui vont de boutique en boutique. Les mosquées de marbre rivalisent de faste avec les centres commerciaux. Oui, de retour au Québec, on se sent pauvre.

4.11 Le passé devant, la modernité derrière. Ce pays de flibustiers s'est complètement métamorphosé avec l'argent.

4.12 Ces habits suintent la richesse. Voilà qui résume bien la situation. Le blanc qui repousse la chaleur pour les hommes. Le noir suffocant pour les femmes. C'est partout comme ça.

4.13 Une photo que j'ai prise pendant une tempête de sable. Il y a quelques années à peine, les Qataris vivaient encore dans le désert.

MAUVAISE EXPÉRIENCE EN ALGÉRIE

Impossible d'oublier ma première visite dans ce pays, en 1969, avec une charmante amoureuse acadienne, Marie-Claire, qui s'est tellement fait harceler et regarder de travers partout où nous allions que nous avons fini par passer au Maroc, plus accueillant et, surtout, plus tolérant.

J'avais 29 ans et une tête de linotte. Imaginez-vous donc que je m'étais procuré une vareuse de l'armée française dans un marché aux puces parisien, et que je déambulais avec cet accoutrement dans un pays du Maghreb qui sortait d'une guerre d'indépendance contre la France. C'est comme si je m'étais habillé en GI américain pour visiter le Vietnam au début des années 1980. Bref, le touriste naïf, inconscient des réactions qu'il suscitait, c'était moi! Quant à la belle Marie-Claire, elle n'avait aucune idée de ce que pouvait être l'islamisme. Nous n'avions jamais entendu parler du mot « charia ». L'Expo 67 avait forgé notre imaginaire en le chargeant des *Mille et Une Nuits*. Or, loin de l'exotisme sensuel plein de magie, nous découvrions des mœurs campagnardes et rêches, obtuses et sans pitié pour les « femmes de mauvaise vie ». Dans la rue, nous nous faisions suivre. Dans les hôtels, c'est à peine si on ne crachait pas aux pieds de ma compagne, tant on la tenait pour une prostituée. La première question que tout le monde nous posait, c'était: « Êtes-vous mariés? » Nous n'avions pas l'intelligence de mentir pour rassurer les gens qui s'horrifiaient de voir un couple illicite partager le lit. Pourtant, dès que nous avons mis les pieds au Maroc, ce fut complètement différent.

Heureusement, j'ai eu l'occasion de revenir en Algérie et de connaître de meilleures expériences, mais je vous en parlerai dans la section culturelle de ce livre!

4.14 Cette demoiselle qui ne montre qu'un œil représente bien la pudibonderie extrême de l'Algérie que j'ai découverte au début de son indépendance et de son islamisation. Si l'on m'avait raconté ces mœurs, je ne les aurais pas crues; le Québec de la Révolution tranquille s'imaginait que la religion disparaissait partout.

LA TUNISIE, DOUBLEMENT DÉSERTIQUE

Depuis quelques années, en raison des turbulences, ce pays du Maghreb autrefois hautement choyé par les touristes subit les contrecoups des violences islamistes et des assassinats. Il y a maintenant deux déserts: celui que les voyageurs venaient voir et celui laissé dans les grands hôtels désormais sous-utilisés. Ai-je besoin de vous répéter que c'est pendant ces périodes de tumulte que voyager coûte le moins cher, avec tous ces hôteliers désespérés de trouver des clients?

La première fois que je suis venu ici, en 1969, le tourisme québécois populaire était totalement inimaginable ! Il faut dire que si le soleil est moins ardent en hiver à Tunis qu'à Varadero, le Maghreb a des charmes que Cuba n'a guère, notamment un magnifique désert.

C'est ici que des Berbères m'ont fait découvrir leur royaume sablonneux. Pas étonnant qu'autant de mes compatriotes soient venus par la suite pour faire ce voyage. Les renards du désert, appelés fennecs, sont invisibles dans leur environnement naturel, mais ici et là il y a des spécimens dressés pour épater les touristes.

Un peu comme nos touristes français qui veulent absolument rester dans les villages amérindiens fabriqués exprès pour eux afin qu'ils puissent montrer des photos dûment nordiques à leurs compatriotes, les étrangers qui visitent le désert veulent de la culture berbère, des hommes bleus, des tentes avec le repas traditionnel – presque toujours du mouton, parfois du pigeon –, de la musique typique, avec le chant d'un barde touareg muni d'un *imzad*.

J'ai vu en Tunisie des manifestations de Berbères demandant l'officialisation du tamacheq, la langue du désert. Une des grandes leçons de géographie que la Tunisie nous donne, c'est que le désert est vivant : il avance et recule, et souvent, il menace d'engloutir le reste du territoire. Ici, les militaires ne se tournent pas les pouces dans leur caserne en temps de paix, mais travaillent sur les routes. Avec des millions d'arbres importés d'Australie, j'ai vu cette armée former une rangée boisée pour ralentir vainement la progression menaçante des sables.

4.15 Ces grandes terrasses prévues pour les masses sont désertées à la suite d'attentats terroristes. Cette photo n'est pas de moi. J'ai demandé à ma collègue et amie Dominique Blanchard de me montrer ce pays déserté par les visiteurs, ce qui est une victoire pour les islamistes.

5 YOUGOSLAVIE

MES FROUSSES EN YOUGOSLAVIE

Quand j'avais trente ans, ce pays socialiste défiait Moscou. On surnommait le maréchal Tito le « de Gaulle de l'Est ». Le tourisme était inexistant. On ne parlait pas de Croates (catholiques), de Serbes (orthodoxes) ou de Bosniaques (musulmans), et on n'imaginait pas qu'une guerre civile couvait. Après l'effondrement de l'URSS, l'identité yougoslave s'est craquelée. Une frénésie nationaliste a plongé le pays dans une horrible guerre fratricide. En 1994, j'ai visité cette contrée à feu et à sang avec le régiment Princess Patricia, et j'ai vu les villes de Dubrovnik, Split, Mostar et même Sarajevo à moitié détruites.

Pendant la guerre, à Mostar, à ma descente du camion, un sergent m'invite à le suivre dans les décombres d'un village. Dans les ruines d'une école primaire incendiée — quelle tristesse ! —, il me demande de marcher scrupuleusement dans ses pas pour éviter de déclencher une mine antipersonnel. Sur un tableau noir, il y a les consignes laissées par une enseignante à ses élèves, dont la guerre a interrompu la remise des travaux.

Dans une usine Renault, on aperçoit des véhicules calcinés encore sur les chaînes de montage. Autrement dit, les gens vaquaient à leurs occupations quand soudainement l'armée serbe a attaqué et tout détruit. Ai-je eu des sueurs froides ? Oui. À bord de la jeep du capitaine, à un poste de contrôle tenu par des Croates ivres morts, j'ai vu mes papiers confisqués par des miliciens qui décidaient d'exercer un pouvoir grâce à leurs mitraillettes. Le capitaine à mes côtés hurlait qu'il exigeait de voir un officier. Les Croates mécontents ont fait appel à sept ou huit adolescents de treize à quinze ans armés de mitraillettes pour chahuter la jeep. Des militaires russes, que nous avions appelés, sont venus parlementer. Finalement, nous avons été contraints de fuir ces soldats improvisés en empruntant une route de montagne lourdement minée. Nous devions circuler lentement en contournant les engins explosifs. Je revêtais un gilet pare-balle. On avait même placé un « coussin antimine » sous mes fesses.

Un autre soir, des soldats canadiens m'invitent à passer la nuit sur une colline où se trouve un poste d'observation de l'ONU situé entre les territoires des belligérants serbes et musulmans. Pour la seule fois de ma vie, j'ai alors eu l'occasion de voir le sillage lumineux des balles de mitraillette dans le ciel d'un noir d'encre. C'était moins romantique que des étoiles filantes.

Ah, ce qu'on oublie vite ! En 2000 et en 2008, les cafés et restaurants s'étaient réactivés, avec leurs chanteurs de sérénades. La Croatie indépendante réalise son plein potentiel touristique avec sa côte Adriatique sertie de merveilleuses ruines romaines. Comme quoi, une chanson enivrante peut faire oublier le douloureux passé.

5.1 Contrairement à Jean Chrétien, je portais mon casque bleu à l'endroit ! Pendant onze jours, au sein d'un convoi militaire, on me recommandait de ne jamais le retirer. Le danger : les tireurs embusqués.

5.2 À Sarajevo, cet édifice qui rappelle sinistrement la Place Ville-Marie s'est fait mitrailler et pilonner sans relâche pendant des mois. Ce genre de ruines urbaines illustre bien ce que fait une guerre civile religieuse dans un pays moderne.

6 LA CHINE ET LE TIBET

LE TIBET DOMINÉ

L'arrivée au Tibet en 4x4 à partir du Népal n'est pas de tout repos. Pendant deux jours, nous filons sur un chemin escarpé, glacé, entre les précipices et les chutes d'eau, sur ce qu'il est convenu d'appeler le toit du monde. Le véhicule peine à avancer quand nous parvenons finalement au plateau du Tibet, à cinq kilomètres d'altitude. En arrière-plan: l'Everest, le plus haut sommet du globe. Un arrêt à Zhangmu s'impose. Ici, plus on voit de moines, plus on trouve de soldats chinois pour qui chaque religieux est suspect.

La domination chinoise impitoyable est partout sensible. À Lhassa, qui veut dire « terre sainte » et qui est la deuxième ville la plus élevée du monde après La Paz en Bolivie, me voilà devant le Potala, le palais des dalaï-lamas depuis le XVIIe siècle. L'actuel dalaï-lama a été chassé en 1959. Dans sa paranoïa, Pékin a fait fermer le Potala pour le convertir en musée puisqu'on croyait qu'il était bondé de moines terroristes, ce qui a quelque chose d'absurde puisque jamais un Tibétain n'a attaqué un Chinois! On assiste à la destruction d'un peuple pacifique et doux par un autre, belliqueux et dominateur. Triste spectacle.

6.1 L'armée chinoise sert de «corps de police» dans le Tibet occupé qui est en train de subir un grand remplacement de population.

6.2 Eh oui! Ces sympathiques enfants chinois qui font le signe de paix sont, bien malgré eux, des conquérants... Bientôt, le Tibet sera majoritairement composé de Chinois.

Il y a très peu de touristes ici. Seulement des colons chinois qui prendront toute la place. Déjà, ils sont devenus la majorité. Bientôt, le Tibet n'existera probablement plus, sinon comme trophée de guerre.

LE TIBET SOUS LA BOTTE CHINOISE

À Lhassa, en franchissant les portes du Potala, l'ancien palais du dalaï-lama, on entre dans un monde de prières. Prières qui n'exaucent pas les vœux de ce pieux peuple. Dans un couloir, j'aborde un Tibétain, qui parle dans un bon anglais, et qui me confie en avoir assez de l'occupation.

Le palais est divisé en deux sections, une blanche et une rouge. La blanche était – anciennement – la résidence du dalaï-lama. La rouge logeait jusqu'à quatre cents moines. Il y a déjà eu 10 000 moines vivant aux abords du palais.

Pékin, qui envoie des colons arrogants qui aiment se croire supérieurs aux indigènes, a compris que sa conquête a une valeur touristique. Le régime communiste a cessé de raser des monuments bouddhistes.

6.3 Le Potala, l'équivalent du Vatican pour les bouddhistes qui vénèrent le dalaï-lama, se détache sur fond de l'Himalaya.

Est-ce une consolation ? Au cours d'une seconde visite en 2012, le Potala était désormais vidé totalement de ses moines. Les guides étaient tous chinois, et chargés de nous communiquer la version officielle de Pékin. Les Chinois aiment se présenter en « libérateurs » du Tibet. Une propagande grossière. En réalité, les Tibétains croulent sous le labeur et utilisent encore le yak comme moyen de traction. Pas étonnant que des militants pro-Tibet chahutent les officiels chinois en voyage à l'étranger.

LA FORCE DU RÉGIME

Dans les hôtels où les touristes logent, il n'y a pas de micros cachés, parce qu'on ne prend même pas la peine de les cacher ! Le régime communiste veut que vous vous sachiez épiés en permanence pour vous intimider.

Maintenant que la Chine vide Lhassa de ses moines, ces derniers sont entassés dans un monastère de haute montagne. Il se trouve à un tel point élevé que mon copain Yves Légaré, par manque d'oxygène, s'est presque effondré. Voilà un problème auquel on ne pense guère avant de partir : l'altitude, avant que le corps réagisse en produisant plus de globules rouges, c'est éprouvant.

Ce peuple se meurt, et le monde entier s'en moque. Et tout ça pour quoi ? Mao pensait trouver du pétrole au Tibet. Il n'y en a pas. La Chine est restée pour le bois et le potentiel hydroélectrique. Mais c'est surtout pour le plaisir de soumettre un peuple plus faible que le géant asiatique s'entête.

De la Chine au Tibet, je garderai toujours le souvenir de ce soldat chinois à peine adulte qui venait nous narguer, pour nous montrer sa supériorité, et essayer d'extirper des pots-de-vin et des cigarettes. De crainte d'aller en prison, nous nous sommes humiliés à lui donner un paquet de Marlboro sans quoi il nous l'aurait fait payer. C'est beau, hein ?

6.4 Les moines tibétains peignent les cadres de leurs fenêtres avec du sang de bœuf, chose évidemment interdite à Montréal !

6.5 Ce travailleur agricole ne figure pas au circuit touristique normal.

6.6 Ces Tibétaines portent de lourds fardeaux, dont ces sacs de blé, destinés à nourrir une lamaserie non loin de là.

LA CHINE DE L'ENVERS DU DÉCOR

Visiter la Chine est toujours une expérience marquante. C'est un décor d'une interminable et spectaculaire métamorphose. Un paradis pour les photographes avec ses merveilles : place Tian'anmen, Cité interdite, montagne de la Porte du Ciel, Grande muraille, mausolée de Mao, etc.

Autour des beautés patrimoniales se dresse un pays de plus en plus sûr de lui, et cela peut se sentir quand on est sur place. Jadis, les Chinois paraissaient complexés. Plus maintenant !

Un des charmes de la Chine, c'est la qualité de ses restaurants abordables, où l'on vous sert une nourriture saine — meilleure que celle de nos fast foods.

Il y a cependant quelque chose de triste dont on ne parle jamais : ce pays demeure largement une sorte de gros tiers monde. Disons que les riches sont épris d'avenir et pleins d'ambitions, tandis que les pauvres sont nostalgiques du passé communiste. Il y a deux Chines bien distinctes. Sortez de la ville et vous êtes en pays communiste, sans le filet social. Les quêteux y sont légion. Ce que l'on voit en Inde, la misère absolue, se trouve aussi en Chine.

LA CHINE DIX30

Il y a une nouvelle Chine qui n'a plus rien pour nous émerveiller parce qu'elle nous a rattrapés dans l'obsession de la consommation. Des fois, on a l'impression de se trouver sur le boulevard Taschereau ou dans les rues du DIX30! L'habillement des gens démontre qu'on s'est empressé d'adopter les modes occidentales et les noms des grands couturiers sont présents avec leurs boutiques de luxe. Christian Dior, Pierre Balmain, Lacoste, Hugo Boss, Tommy Hilfiger et Adidas n'ont plus de secrets pour ces gens.

Mélangez à cela des steak houses, certains de grande qualité, et des restaurants McDonald's, des Pizza Hut, des succursales de Poulet Frit Kentucky – très populaire là-bas! – et des Starbucks. Tout cela est devenu leur routine, comme la nôtre.

Devinez quoi? Dans les couloirs des centres commerciaux, on entend de la musique américaine. Comme ici, quoi!

6.7 Eh oui, en pleine Chine, on se croirait dans un centre commercial de Brossard! Une certaine nouvelle Chine n'a rien de chinois! Remarquez bien : la plus importante communauté chinoise du Québec à l'extérieur de Montréal est par ailleurs concentrée à Brossard!

INFERNALE SHANGHAI

6.8 Non, nous ne sommes pas sur la place Émilie-Gamelin ! Ces nostalgiques du régime maoïste protestent contre le virage capitaliste de leur pays.
6.9 Des sans-abri, certains très jeunes comme celui-ci, nous rappellent que la prospérité chinoise a tendance à oublier certains groupes.

Voilà la ville qui détient le record du rattrapage sur la vieille Chine agricole de Mao. Partout, les édifices flambant neufs chantent la gloire du capitalisme dans un État pourtant officiellement communiste. Les gratte-ciel poussent comme des champignons dans cette ancienne enclave franco-britannique de Shanghai dont on peut visiter les quartiers où l'on a conservé quelques vestiges de l'époque coloniale.

C'est d'ailleurs dans cette partie de la ville que la nostalgie existe puisque j'ai eu la surprise de tomber sur une manifestation de communistes purs et durs qui rappellent que la nouvelle Chine n'est plus le parapluie protecteur qui garantissait aux gens un salaire et un logement. Eh oui, j'ai vu une manifestation communiste dans un pays communiste !

Comme pour donner raison à ces protestataires, il y a de nombreux sans-abri dans cette mégalopole. Sur son grand fleuve Yang-Tsé-Kiang, qui coupe la ville en deux, circulent des bateaux pour touristes bardés de publicités scintillantes de produits de consommation japonais ou américains. Mais en dehors de Shanghai, dans les campagnes, on retrouve les cultivateurs vêtus de bleu qui nous rappellent que s'il y a 300 millions de nouveaux riches, il reste encore un milliard de Chinois n'ayant pas accès au rêve matérialiste véhiculé par nos écrans de télévision.

LE PALAIS DE L'EMPEREUR À PÉKIN

Haut lieu d'achalandage touristique pékinois, le palais de l'empereur, au bord de l'eau et au frais, est un endroit salutaire dans la mégalopole à la chaleur estivale étouffante et aux odeurs d'oxyde de carbone. Même dans ce havre de paix, on voit bien, en levant les yeux, que le ciel refuse de devenir bleu.

6.10 Voyez-vous le smog ou le palais dans cette photo ? Voilà un problème typiquement chinois. Il est de plus en plus difficile de prendre de belles photos de Pékin dans son brouillard carbonique !

Le smog est écrasant. Pour nous qui venons d'un pays constamment en train de mesurer la qualité de l'air, toute cette boucane nous indispose. Ce qui frappe, à Pékin, c'est l'absence quasi totale d'oiseaux. Certains jours, on ne voit presque aucun volatile dans le ciel. Ce signal devrait alarmer ceux qui s'obstinent à croire que le problème est anodin.

Mais revenons au palais de l'empereur. J'étais l'un des seuls visiteurs étrangers. Presque tous les touristes venaient de Chine. Le tourisme intérieur est un phénomène de plus en plus fréquent. Plusieurs campagnards que je vois déambuler dans Pékin sont modestement vêtus, mais leur équipement et leur habillement se sont nettement améliorés au cours des cinq dernières années, ce qui témoigne de la prospérité économique croissante du pays.

Que dirait le dernier empereur de Chine de ce qui se passe à proximité de son palais d'été ? Ce pays jadis agraire s'est modernisé à une vitesse stupéfiante. Les pauvres et humbles Chinois d'il y a vingt ans sont devenus souriants et sociables, sûrs d'eux et curieux. Pour un voyageur québécois qui déambule dans les rues, l'atmosphère s'est améliorée. Les gens se sont habitués aux étrangers et n'ont plus peur d'eux.

7 TERRE SAINTE

LA TERRE PAS SI SAINTE

La soi-disant Terre sainte n'est pas si sainte que ça parce que, là où il y a de l'homme, il y a de l'hommerie. Une ville multimillénaire comme Jérusalem se moque bien des trois cent soixante-quinze petites années de Montréal. L'occupation humaine ici se perd dans la préhistoire, si bien que l'histoire biblique elle-même, du point de vue de l'archéologue, est relativement récente.

En tout cas, elle est encore d'actualité, à maints égards. Au faîte du mont des Oliviers, où le plus vieil arbre n'a pas « connu » Jésus, je fixe la muraille de Jérusalem, qui n'est pas celle de l'époque, mais plutôt de la période de l'Empire ottoman.

Une fois dans la ville, j'imagine sans mal le Christ se balader dans ce décor.

Mais si on veut vraiment avoir l'impression de se retrouver dans la Bible, c'est en province qu'il faut se diriger. Le long du lac de Tibériade, on imagine sans peine les apôtres en train de pêcher. On foule le sol de la petite colline où Jésus prononça son fameux sermon sur la montagne.

À des Gitans installés près des berges, j'ai demandé : « D'où venez-vous ? » Ils disaient venir de l'Arabie heureuse, du Yémen, où l'islam a chassé toutes les autres religions.

À Magdala, la ville dont dérive le prénom Madeleine – Marie de Magdala est devenue Marie Madeleine –, on me montre une chaloupe en cèdre du Liban qui date du Ier siècle, l'époque du Christ.

Impossible de s'ennuyer ici. À l'un de mes premiers voyages, en 1970, je me suis fait dérober mon argent par un hôtelier véreux, mais une gentille Israélienne, originaire de Stamford, dans le Connecticut, m'a accueilli chez elle pour me dépanner et me faire vivre des amours de vacances.

En 1986, avec mon fils Nicolas encore adolescent, dans Jérusalem, nous nous sommes fait lancer des cailloux par de jeunes Palestiniens sans Palestine qui, en trouvant des proies faciles, se sont mis à nos trousses. Nous nous sommes réfugiés dans un couvent catholique où une bonne sœur parlant français nous a protégés en attendant que Tsahal, comme on appelle l'armée, nous ramène en Jeep à l'hôtel. Non, à Jérusalem, on ne s'ennuie pas !

7.1 Vue de Jérusalem depuis le mont des Oliviers. À l'avant-plan, avant la muraille, il y a la vallée de Josaphat, là où nous serons convoqués à la fin des temps. Quant au dôme que vous voyez, c'est celui de la mosquée d'Omar, érigée en 1193 sur l'emplacement de l'ancien grand temple juif de l'époque de Jésus, que les Romains, sous les ordres de l'empereur Titus, rasèrent en l'an 70.

7.2 En Israël, l'armée est omniprésente, puisque le danger est toujours réel, mais je ne connais pas de militaires généralement plus amicaux avec les visiteurs. Heureusement !

LE SÉPULCRE DE LA ZIZANIE, À JÉRUSALEM

Selon la tradition, au moment de la Passion, Jésus est sorti de Jérusalem, chargé de sa croix, et c'est sur une colline à proximité de la ville, dite Golgotha – ce qui veut dire « le crâne » – ou Calvaire, qu'il a été mis en croix. C'est tout près de là, dans un caveau, que son corps a été enseveli.

Dès les premiers jours du christianisme, ces endroits sont devenus des lieux de culte. Très rapidement, les chrétiens ont bâti des chapelles, puis des églises, puis des cathédrales, puis des basiliques pour contenir les cathédrales et les églises.

7.3 Cette femme embrasse la pierre où Jésus fut lavé et parfumé après sa mort avant d'être mis au tombeau – pour en sortir trois jours plus tard.

« Où est le Golgotha ? » se demande le visiteur en entrant dans le Saint-Sépulcre. Réponse : il est intégré à l'édifice. On peut voir la pierre du piton rocheux, et la toucher, notamment sur le lieu où la croix de Jésus est censée avoir été plantée. Maintenant, sur ce lieu, s'élève un autel orthodoxe dit de Notre-Dame des Sept Douleurs, en l'honneur de la mère du Christ, qui l'a vu crucifier. Quel labyrinthe, quel micmac ! Que d'enchevêtrements et de contournements pour essayer de savoir la vérité ! J'y suis allé quatre fois et j'en suis sorti tellement mêlé et dérouté que, selon moi, il y a de quoi perdre la foi. En tout cas, j'y ai perdu mon latin ! Au risque de vous sembler sacrilège, je vous dirai que, si ça ne tenait qu'à moi, je déménagerais ces bâtiments, certes magnifiques, mais qui empêchent de voir les lieux tels qu'ils étaient à l'époque du Christ. À force de construire interminablement sur ces lieux saints, on les étouffe !

7.4 Une chrétienne orthodoxe se prosterne devant un autel érigé sur le Golgotha, à l'endroit présumé de la crucifixion de Jésus Christ.

7.5 Pendant les croisades du Moyen Âge, les guerriers chrétiens qui arrivaient à Jérusalem, pour chasser les musulmans de la ville, venaient graver ces petites croix dans une caverne sous le Golgotha, montagne de la crucifixion.

TEL-AVIV : MÉTROPOLE NAISSANTE

Quand je dis que je suis allé sept fois en Israël, ça montre tout l'intérêt historique, artistique et culturel de ce minuscule pays, dont la métropole, Tel-Aviv, n'existait pas il y a 100 ans. À ma première visite, en 1970, la ville était insignifiante, impersonnelle, incolore, mais il y avait la plage ! Les abords enchanteurs de la Méditerranée n'ont pas changé, mais la cité, elle, s'est métamorphosée. En 1973, déjà quelques gratte-ciel s'étaient ajoutés. En 1986, les hôtels devenaient plus luxueux. En 1993, je me serais cru à Miami dans une station balnéaire de luxe. En 2004, la modernité avait totalement bouleversé le paysage urbain. En 2012, je ne la reconnaissais

7.6 Avec des édifices art déco, c'est normal qu'on se sente à Miami !

plus ! Non seulement Tel-Aviv a complètement supplanté Jérusalem par son industrie, mais la culture et la gastronomie ont suivi aussi. Existe-t-il un peuple plus éduqué que celui-ci ?

Qui plus est, pour le francophile que je suis, Tel-Aviv a la qualité d'être une ville quasiment française tellement les francophones y sont nombreux : les Juifs sépharades originaires du Maroc, de l'Algérie, de la Tunisie ; et en ce moment, en raison de l'islamisation de la France et de la Belgique, où des fanatiques musulmans assassinent des enfants et des innocents juifs dans des écoles, des musées et des synagogues, les juifs d'Europe font leur alya, c'est-à-dire qu'ils élisent domicile en Terre sainte. Pendant que Paris et Bruxelles s'arabisent, Tel-Aviv se francise ! Si Jérusalem est le cœur d'Israël, Tel-Aviv en est la tête et, franchement, c'est le meilleur endroit pour fêter et rencontrer des gens intéressants.

7.7 Le Musée d'art moderne de Tel-Aviv pouvait-il occuper un autre bâtiment que celui-ci, aux lignes si modernes ? En fait, cet édifice est un édicule et l'essentiel du musée est sous terre.

RABAIS DE GUERRE ET ISRAËL

Le malheur des uns faisant le bonheur des autres, chaque fois que ça va mal ou que ça brasse dans un pays, les touristes le désertent, et les prix baissent. Souvent, j'en ai profité pour visiter des lieux extraordinaires au rabais, moyennant de ma part un peu de témérité. En Égypte, par exemple, au lendemain de l'assassinat de Ben Laden, on ne voyait plus que des touristes locaux – et aucun étranger – dans les hôtels ; l'ennui, bien sûr, ce sont les risques bien réels de kidnapping ou d'assassinat de la part de fanatiques. Voilà l'avantage d'Israël où Tsahal, plus que partout ailleurs, est polie, presque amicale, avec les voyageurs.

Jérusalem, à elle seule, peut vous occuper pendant plusieurs jours. Normalement noire de monde, la ville sainte est, comme par magie, moins achalandée quand il y a des « tensions » dans la région. Oui, le rêve du touriste, qui est paradoxalement d'aller dans des endroits où il n'y a pas de touristes comme lui, est possible même dans la destination religieuse par excellence. À une occasion, j'ai assisté à une scène d'arrestation très spectaculaire, à Tel-Aviv, avec une foule en colère. Un homme en état d'arrestation, un Palestinien, des fusils braqués sur lui ; qu'avait-il fait ? Je ne sais pas.

7.8 À l'école aussi, on semble apprendre aux enfants le sens de l'hospitalité, si l'on en croit le salut amical de ce garçon de Tel-Aviv.

8 LES ÉTATS-UNIS D'AMÉRIQUE

SUR LA ROUTE DES KENNEDY

On dit souvent que les trois hommes au sujet desquels on a le plus écrit sont respectivement Jésus Christ, Napoléon Bonaparte et John F. Kennedy – appuyé par le rapport Warren et les milliers de livres au sujet des circonstances nébuleuses de son assassinat et de sa liaison avec une certaine Marilyn.

Tous ceux qui étaient vivants en 1963 se souviennent de l'endroit où ils étaient en apprenant la mort de John F. Kennedy. À Dallas, on a eu extrêmement honte de ce sinistre assassinat. Mais de nos jours, les entreprises touristiques nous proposent une « route de Kennedy » tout comme, vous vous en souvenez, il y a maintenant en Allemagne une « route du troisième Reich » pour entretenir le souvenir de choses autrement plus horribles. Comme quoi tout peut se récupérer.

De l'hôtel, on nous promène dans une grande rue pour nous montrer les fenêtres d'édifices où un tireur embusqué aurait pu s'installer. Ensuite, on nous fait visiter l'endroit où Lee Harvey Oswald, le présumé assassin, s'est posté, pour nous faire voir la fenêtre qu'il aurait utilisée. J'ai pu déjouer la vigilance d'un gardien de la Library Deposit et aller regarder par la fenêtre élevée d'où Oswald aurait tiré sur le président ; avec le temps, les arbres ont grandi et cachent partiellement l'emplacement où la balle fit sauter le cerveau de l'homme le plus puissant du monde. Un « X » blanc marque le lieu de l'impact sur l'asphalte.

Ensuite, on descend jusque sur le lieu de l'assassinat, sur Elm Street. Était-il possible pour Oswald d'atteindre le président à partir de son poste éloigné ? Comme le cinéaste Oliver Stone, je fais partie de ceux qui croient qu'un deuxième tireur, caché derrière une clôture, plus proche du président, a également participé au meurtre.

Aussi dans le trajet touristique : une visite de l'hôpital Parkland, où le président a poussé son dernier soupir ; un passage devant la maison d'Oswald – dont le propriétaire hostile aux touristes qui photographient a décidé d'exiger des frais – ; un tour dans le quartier où Oswald a abattu le policier Tippit ; et nous filons au cinéma Texas, où il a été appréhendé. Dernière station de ce circuit morbide : le poste de police où Jack Ruby a assassiné Oswald.

Pour nous sortir de ces pénibles souvenirs, la visite se termine sur le magnifique ranch qui a servi au tournage de la série *Dallas*, qui a contribué à repopulariser la ville honteuse en la remettant en vogue. À Dallas, on a donc su récupérer l'événement tragique. Voilà l'habileté des Américains.

Moi-même obsédé par l'affaire JFK, j'ai été un grand boulimique de lecture, et je suis retourné sur les lieux du crime, une seule visite ne m'ayant pas suffi. À l'occasion du demi-centenaire de cette tragédie nationale américaine, Dallas a organisé conférence sur conférence avec, notamment, des proches de la famille de Lee Harvey Oswald et de Jack Ruby. Comme quoi mieux vaut affronter ses démons que les fuir.

8.1 Le cinéma où Oswald fut arrêté est classé patrimonial, il n'a donc pas été rénové et, pour les amateurs, diffuse toujours des films.

8.2 Cette maison où logeait l'assassin de Kennedy est un arrêt incontournable.

8.3 Voici exactement le point de vue qu'avait le tireur Lee Harvey Oswald au moment d'épauler son arme. Ces touristes se tiennent sur les lieux où Kennedy a été atteint. On y dépose encore des fleurs. Quant aux arbres à l'époque, ils n'obstruaient pas encore la vue.

FORT WORTH – LE SAINT-TITE PERMANENT

8.4 Cette demoiselle chevauche une Texas Longhorn qui a le regard moqueur.

Si Dallas est connu à travers le monde entier pour l'assassinat de JFK et la série télé culte éponyme, ce qui est moins connu, c'est que l'élevage du bétail, qui préexistait à l'exploitation du pétrole, est toujours vivant.

Ironie du sort, si l'industrie pétrolière a d'abord semblé vouloir effacer totalement celle des grands éleveurs, c'est à son tour de se sentir compromise par les nouvelles technologies qui visent à la faire disparaître.

Fort Worth, ça ne vous dit rien ? Il s'agit d'une ancienne ville depuis longtemps amalgamée à Dallas, mais dont les habitants continuent de se sentir indépendants. Chose certaine, ils sont distincts des autres citoyens de Dallas, notamment par leur attachement au mode de vie des éleveurs de bétail.

Chaque jour, à 16 h exactement, les troupeaux se déplacent dans la ville, directement dans les rues. Le trafic s'arrête. Les autos doivent se stationner et attendre. Le jour, les bêtes sont dans les enclos de vente ; le soir, elles rentrent à l'étable.

Je n'ai jamais vu un tel déplacement de bestiaux en pleine ville !

Pouvez-vous croire qu'au cours de mes trois visites précédentes à Dallas, jamais on n'avait daigné me recommander de venir à Fort Worth ? Sans doute que les promoteurs touristiques de Dallas préfèrent ne pas nous faire sortir du cœur de la ville.

Pour nous, Québécois, qui avons l'habitude des vaches Holstein tachetées de noir et de blanc, les Texas Longhorn sont impressionnantes. Eh oui, Fort Worth a sa propre race de vache aux cornes disproportionnées, car au Texas, il faut le dire, tout est gros.

Quant à la table, inutile d'ajouter que vous êtes ici dans le lieu où l'on sert le meilleur steak au monde ! Mais voilà une vantardise fort répandue, n'est-ce pas ? Ainsi, on a les « meilleures grillades de bœuf » en Argentine et à Calgary... et à Fort Worth aussi.

Chose étonnante : il n'y a pas à Fort Worth de « bibeloteries » insipides comme à Montréal ou Québec pour vendre des gugusses quétaines aux touristes. Les boutiques offrent de l'artisanat local authentique. Les chapeaux de cowboy artisanaux se détaillent entre 500 $ et 5000 $!

8.5 À 16 h tous les jours, les voitures s'arrêtent. La rue principale appartient aux vaches et à leurs éleveurs. Les transferts de bestiaux en pleine ville sont l'occasion de prendre de bonnes photos. À Fort Worth, la plupart des « stationnements » sont pour les animaux.

LES ÉTATS-UNIS DE LA NOSTALGIE

Comme je suis un grand nostalgique, je vous entretiens ici des États-Unis qui n'existent plus.

Le jeune homme vêtu en matelot entre deux demoiselles sur la photo 8.6, c'est moi, à vingt ans, en 1960, à une époque où, avant ma carrière à la radio, j'étais étalagiste décorateur de vitrines chez Simpson. La photo où vous me voyez montre le Miami qui venait d'accueillir les Cubains anticastristes. Une pancarte alarmiste montrait un pirate ayant un couteau en forme de Cuba dans la bouche et disait : un pays communiste se trouve à seulement quatre-vingt-dix milles d'ici. C'était longtemps avant que les Québécois ne fassent de cette île leur destination vacances la plus courante.

8.6 Moi à vingt ans.

8.7 Au début des années 1990, j'avais comme marotte à la radio la question des fraudeurs du système d'aide sociale qui encaissaient leurs chèques de BS (assistance sociale) à partir de la Floride où ils se la coulaient douce. Certains m'appelaient depuis Fort Lauderdale pour me narguer pendant ma tribune téléphonique. Donc, je suis allé animer une émission spéciale là-bas. Un millier de personnes sont venues me voir.

9 L'ÎLE SAINTE-HÉLÈNE – TERRITOIRE BRITANNIQUE

L'ÎLE SAINTE-HÉLÈNE : EN EXIL AVEC NAPOLÉON

Très peu de Québécois ont posé le pied sur cette petite île de l'Atlantique Sud, à mi-chemin entre la Namibie et le Brésil. La seule raison d'y venir en voyage, c'est pour l'empereur que l'on a exilé ici et les lieux où il a vécu ses derniers jours – une période de la vie de Napoléon que le romancier Jean-Paul Kaufmann a raconté dans son livre *La chambre noire*, primé par l'Académie Goncourt.

Il m'a fallu quatre jours de bateau en partance du Cap, en Afrique du Sud, avant d'apercevoir cette île qui fait peur avec ses noires falaises abruptes en dents de scie. J'imaginais le regret de Napoléon, berné par la perfide Albion, alors qu'il s'était volontairement rendu aux Anglais au lendemain de Waterloo. En foulant ces marches, les mêmes qu'il a escaladées, je suis entré dans cet univers historique. Si l'enveloppe extérieure de l'île est lugubre, son intérieur, où la température change toutes les quinze minutes, regorge d'une végétation variée. Dans Jamestown, j'ai croisé nombre de gens aux yeux bridés et d'autres à la peau foncée. L'Inde, la Chine et Madagascar ont fourni Londres en main-d'œuvre. La population de seulement 4 250 habitants est extrêmement métissée.

Chose à noter : on mange mieux ici qu'en Angleterre ! Les côtelettes d'agneau, le poulet rôti et le poisson avec des légumes font l'honneur de la table locale. Serait-ce en raison de l'influence française ?

9.1 C'est dans cette minuscule capitale, Jamestown, bâtie dans un entonnoir volcanique, que Napoléon débarqua en octobre 1815.

9.2 Napoléon a rendu l'âme le 5 mai 1821 dans ce lit de camp qu'il avait déjà utilisé pendant la bataille d'Austerlitz.

9.3 La dépouille de Napoléon a reposé ici, dans la vallée des géraniums, pendant dix-neuf ans, avant d'être rapatriée aux Invalides, à Paris. Il avait lui-même choisi cet endroit au cours d'une randonnée à cheval. La pierre tombale est vierge parce que les Anglais refusaient d'y inscrire le mot « Empereur », ce que les Français ne pouvaient accepter ; finalement, rien ne fut gravé.

10 LE SÉNÉGAL

LE SÉNÉGAL RADIOPHONIQUE

J'ai beaucoup voyagé, mais il y a seulement deux pays où j'ai pris un appartement : la France et le Sénégal. Au Sénégal, je donnais des cours de journalisme radiophonique. En 1983, j'ai enseigné pendant trois mois à l'Université de Dakar, qui était alors une référence pour tous les jeunes de l'Afrique noire francophone.

Sur l'immense campus de 25 000 étudiants, l'émission de radio qui jouait partout était le journal que je préparais avec mes stagiaires. Quelle belle expérience ! Le Sénégal est envié de ses voisins parce que plus démocratique. J'y suis retourné en 2001 et en 2005.

L'ancien président Léopold Senghor, père de l'indépendance du pays et premier Noir admis à l'Académie française en tant que poète, m'a reçu lors d'une visite à sa résidence mauresque – un endroit magnifique.

10.1 Quelle belle expérience ce fut que ces mois à faire de la radio au Sénégal ! Heureusement que mon employeur de l'époque, CKVL/CKOI, m'a donné un congé sans solde en me permettant de revenir à mon poste. Ensuite, mes étudiants sénégalais sont venus faire des stages avec moi au Québec.

J'ai eu beau essayer de convaincre M. Senghor que l'indépendance du Québec s'imposait, je ne suis jamais parvenu à faire flancher ce diplomate de haut vol qui semblait ne s'émouvoir de rien. Lui, le gaulliste, ne voulait pas du tout du « vive le Québec libre ». Il jugeait admirable la loi 101, et par ailleurs, il m'a demandé de lui faire parvenir un exemplaire du texte de loi élaboré par Camille Laurin, ce que j'ai fait.

En même temps, il aimait le bilinguisme à la canadienne, façon Pierre Elliott Trudeau. Je lui faisais remarquer que Trudeau détestait la loi 101. Mais Senghor rétorquait que la « souveraineté culturelle » à la Robert Bourassa lui semblait capable d'imposer le respect à Ottawa.

Fier de son pays, Senghor m'a recommandé de visiter l'île de Gorée, là où les gigantesques canons ont déjà été braqués vers la flotte des forces franco-anglaises de Churchill et de De Gaulle. C'est aussi dans cette île que l'on nous sensibilise aux réalités de l'esclavagisme, puisque c'est de là que partaient des « cargaisons humaines » à destination des Amériques. Bien sûr, les guides évitaient de préciser que ce sont leurs propres ancêtres qui allaient dans le pays capturer des indigènes pour les revendre...

Je ne peux pas dire que Dakar m'a charmé. Non loin de là, il y a un lac rose, le lac Reitba, magnifique. Dans l'ancienne capitale Saint-Louis, on retrouve la trace des pilotes aéropostaux comme Saint-Exupéry ou Mermoz, juste à côté de la frontière avec la très sablonneuse Mauritanie.

10.2 Ma photo de la très jeune maman qui lave son fils dans un lavabo m'a valu un prix d'honneur de la défunte chaîne Direct film. Je l'ai prise à l'île de Gorée, d'où partaient jadis les esclaves noirs à destination des Amériques.

10.3 Homme affable, Léopold Senghor avait l'art de vous faire sentir à l'aise lorsque vous lui rendiez visite. Son français chantant et poétique m'incitait à faire très attention lorsque je m'exprimais.

11.1 Ces femmes, portant le chapeau latanier et un fardeau non négligeable, démontrent la douceur de ce pays qui connaît enfin la paix. Elles rigolent parce qu'elles savent que je vais les photographier. J'ai croqué cette scène en banlieue de Hanoï sur la route de Diên Biên Phu.

11 LE VIETNAM, LA BIRMANIE ET LE TRIANGLE D'OR

VIETNAM : LE PARADIS RETROUVÉ

Dire que j'ai déjà voulu venir ici en 1972 comme reporter de guerre pour accompagner l'armée américaine ! On m'avait dit non parce que j'avais séjourné à Cuba en 1968 : la CIA a de la mémoire.

Les temps ont bien changé. Le Vietnam ne fait plus peur aux touristes. C'est devenu une destination presque obligatoire pour les bateaux de croisière. On a tourné la page sur les deux guerres atroces contre la France et les États-Unis.

11.2 En 1975, à l'occasion d'une pseudo-trêve entre le Nord et le Sud, je faisais partie d'une délégation internationale d'observateurs dirigée par l'ONU, avec d'autres journalistes issus de « pays neutres ». Des guides Viêt-Cong m'ont fièrement montré cet hélicoptère américain abattu dans la jungle. Après à peine trente-six heures de voyage, nous avons été rapatriés d'urgence. L'armée du Nord faisait mine d'attaquer. Celle du Sud était en débandade. Ses soldats désertaient leurs postes et troquaient l'uniforme contre des t-shirts pour se fondre dans la population. Un mois plus tard, c'était fini : les communistes l'emportaient. Avec leurs chars soviétiques T-35, ils entraient dans Saigon.

Tous les noms évocateurs du Vietnam continuent d'attirer cinéastes, romanciers, journalistes : le Mékong et la rivière des Parfums, le col des Nuages – qui auréole les montagnes qui séparent le Nord et le Sud –, le champ de bataille de Diên Biên Phu, où la France perdit son Indochine, « Saigon l'Impure » devenue Hô Chi Minh-Ville depuis la victoire des communistes, sans oublier la région de Cu Chi qui regorgeait de tunnels interminables où se tapissaient les Viêt-Congs, etc.

SPLENDEURS ET MISÈRES BIRMANES

Si ce pays a longtemps verrouillé son industrie touristique, était-ce pour cacher ses beautés ? Non, c'était pour opprimer impunément son peuple. Même si, aujourd'hui, les choses se sont améliorées, la Birmanie reste l'un des pays les plus corrompus du monde.

L'industrie touristique et hôtelière est contrôlée par les militaires au pouvoir qui profitent des dollars des visiteurs pour garnir leurs coffres. Plusieurs dénoncent donc le tourisme comme contribuant au problème, mais je ne suis pas d'accord parce que non seulement il y a de petits commerces que l'on peut encourager sur place, mais la présence d'étrangers oblige la junte au pouvoir à au moins préserver les apparences. Pensons aux pires dictatures du monde : elles interdisent le tourisme ou encadrent le visiteur avec paranoïa. Bref, le sort de la Birmanie intéressera davantage le monde si le monde la visite souvent.

11.3 Les enfants vietnamiens comptent parmi les plus accueillants et enthousiastes avec les touristes. Ils ne se font jamais prier pour poser. Comme ces écoliers devant leur autobus vers Ho-Chi-Minh-Ville, l'ancien Saigon.

11.4 Eh oui ! J'ai pris cette photo de la politicienne birmane Aung San Suu Kyi. Mais c'était en Inde, à New Delhi, en 2012, alors qu'elle était invitée par l'État indien, et qu'elle logeait dans le même hôtel que moi. Pendant longtemps, elle a vécu en résidence surveillée et elle se faisait surnommer La Dame, par ailleurs un film à ce nom, *The Lady*, raconte sa vie.

11.5 Ces Birmanes ayant fait le plein de verdure au marché s'en retournent chez elles dans les maisons à pilotis décrépites. Pourquoi se bâtir dans un marais ? Pour éviter les taxes foncières.

Avez-vous vu le film *The Lady*, du cinéaste Luc Besson, au sujet de l'opposante politique Aung San Suu Kyi ? Il vous montrera que la Birmanie revient de loin.

Un de mes souvenirs les plus frappants, au poste frontalier du nord de la Thaïlande, en 2001, à une époque où il était impensable d'entrer en Birmanie, j'avais été témoin d'un débat affreux. J'ai vu une rivière séparant les deux pays qui servait, m'expliquait la guide, de convoyeur à bébés abandonnés dans des corbeilles flottantes. Oui, comme Moïse sauvé des eaux dans la Bible. Les femmes qui crevaient de faim au Myanmar espéraient ainsi donner à leur enfant une chance de mieux vivre en trouvant une famille d'adoption en Thaïlande...

Je vous rappelle cette triste page d'histoire pour vous montrer que, oui, selon moi, le fait que le tourisme soit permis en Birmanie est une excellente chose. Avec des étrangers sur place, la dictature birmane ne peut pas être aussi concentrationnaire que par le passé.

Pour finir sur une bonne note, ce pays qui a connu la misère ne regorge pas moins de splendeurs. C'est la Thaïlande en plus beau et en moins cher, diront certains.

11.6 Comment ne pas être impressionné par une telle architecture ? Cet endroit où l'on crève souvent de faim n'a pas de mal à investir son argent dans le toit de ses temples. Les années de dictature affreuse n'ont au moins pas tout détruit comme dans certains pays où le fanatisme s'imagine que la vie commence avec son idéologie.

11.7 Cette mâcheuse de bétel exhibe fièrement sa dentition couleur de charbon. Sur le coup, j'ai cru qu'elle était édentée ; l'intérieur de la bouche était entièrement noir, les dents sont difficiles à discerner.

LE TRIANGLE D'OR

Triangle d'or, l'expression est charmante, mais l'endroit est peu sécuritaire, sachez-le. C'est plutôt l'or blanc – la cocaïne –, ici, qui circule, et non pas le métal précieux. Il y a des gredins et des policiers incognito partout. « Les arbres ont des oreilles » dit une expression du Triangle d'or, qui est la traduction, pour la jungle, de nos « murs qui entendent ». Drogue, trafics divers, ce territoire découpé par trois frontières – Thaïlande, Birmanie et Laos – est un lieu d'échanges interlopes qui a néanmoins ceci d'intéressant que l'on y retrouve des tribus demeurées relativement fidèles à leurs traditions. Je veux parler des Lahus, des Karens et des Padaungs.

Fait intéressant, ces tribus ne sont pas indigènes. Elles ont migré ici. Ces gens descendent des Chinois et des Mongols, mais ont développé des modes de vie radicalement différents.

Les femmes Lahus ne paient pas de mine, mais elles sont si exubérantes qu'elles nous charment malgré leur allure rebutante : elles font exprès de se noircir les dents – c'est un marqueur identitaire dont elles sont fières – en mâchant du bétel, un produit naturel visqueux comparable à de la réglisse. Elles sourient à pleine bouche – en montrant leur dentition complètement noire – sans éprouver d'embarras. Tout le contraire d'une annonce de dentifrice !

Quant aux femmes Karens, elles ont des goûts plus coûteux, mais non moins douteux, puisqu'elles aiment se faire dorer les dents.

Plus connus que les deux autres tribus du Triangle d'or, les Padaungs, dont font partie ces femmes aux cous de girafe, ont marqué l'imaginaire mondial.

Nul doute que les goûts ne sont pas à discuter en matière de séduction féminine. Cependant, j'ai remarqué que beaucoup de jeunes femmes, plus modernes, refusent la tradition, et gardent les dents blanches et le cou court – grand bien leur fasse.

12 HISPANIOLA : HAÏTI ET LA RÉPUBLIQUE DOMINICAINE

HAÏTI OU LA QUEUE DU SERPENT

Haïti me fait penser à un jeu de « serpents et échelles ». On lance les dés. Un mauvais sort veut que l'on atterrisse toujours sur une queue de serpent, au lieu d'une échelle, et que l'on glisse à la case départ. La première république noire du monde, qui a obtenu son indépendance en 1804, semble pourchassée par un mauvais sort.

Ici, superstition et tyrannie ont toujours fait bon ménage. L'ancien dictateur François Duvalier, alias Papa Doc, ne dédaignait pas à se faire passer pour l'incarnation du Baron Samedi, une divinité redoutable du vaudou.

Même s'il a fait 230 000 morts, 300 000 blessés et 1,2 million de sans-abri, le tremblement de terre de 2010 a profité à quelques Haïtiens : malheureusement, je parle des quelque cinq cents malfrats évadés de prison qui insécurisent le pays. Une activité très à la mode au sein du monde interlope est le kidnapping à des fins de rançons.

Quelques mois après le séisme, en entrant dans les entrailles de Port-au-Prince, je me retrouve dans un immense chaudron cacophonique composé de mendiants, de gens armés aux portes de bâtisses – sécurité privée oblige – ou de Casques bleus de l'ONU, quand ce ne sont pas des policiers de la SQ, du SPVM ou de la GRC, qui évoluent chez le peuple haïtien.

Ces rues encombrées de véhicules multicolores projettent des citations de la Bible. Dieu et Jésus ont la cote dans les graffitis. Les murs de Port-au-Prince nous parlent. Les graffitis haïtiens véhiculent des messages forts. J'ai senti que je ne me trouvais pas au Québec devant le graffiti : « L'enfer sera réel ! » Comme s'il n'existait pas déjà sur terre pour nombre de gens de ce pays tellement dur !

DES ENFANTS COURAGEUX

Près de 70 % des écoles ont été détruites et 1 300 enseignants ont perdu la vie le jour du grand séisme. On voit les enfants, le cahier sous le bras, se rendre dans des écoles improvisées sises souvent sous un arbre ou à l'intérieur d'une tente.

Un problème linguistique se profile à l'horizon : une créolisation doublée d'une anglicisation. À Haïti, il y a le créole, le patois local, un idiome qui menace d'isoler le peuple haïtien en le repliant culturellement sur lui-même, comme s'il avait besoin de ça !

On est souvent incapable de s'adresser à un jeune Haïtien en français, une langue qui lui devient étrangère, un peu comme le latin pour nous.

Haïti est encore loin d'être retombée sur ses pieds. Un chômage endémique frappe la population. Seuls les croque-morts et les fabricants de cercueils font des affaires florissantes. Personnellement, je pense qu'il est urgent d'investir dans l'éducation, l'éducation et l'éducation.

Les Haïtiens vont-ils aussi parvenir à replanter des millions d'arbres sur leurs terres boueuses complètement dévastées par la déforestation ? Les gens

12.1 Un jeune père de famille qui a perdu sa femme, le 12 janvier 2010, revient sur les lieux de la mort de son épouse, avec ses enfants, afin de prier pour elle. Je les ai rencontrés dans les vestiges de l'ancienne cathédrale de Port-au-Prince.

n'utilisent pas le bois pour se chauffer, bien sûr ; ils le brûlent pour la cuisson. *L'homme qui plantait des arbres* de Frédéric Back serait le bienvenu par ici.

On aura beau dépenser des milliards de dollars et faire preuve de la meilleure volonté du monde pour leur venir en aide, nous ne pourrons jamais faire le travail des Haïtiens à leur place. Au bout du compte, le relèvement d'Haïti ne dépend que des Haïtiens... ou pas.

12.2 Les croque-morts et les fabricants de cercueils ne chôment pas dans ce pays où le taux de mortalité est anormalement élevé.

12.3 La devanture du commerce de croque-morts appelé « Manman Marie ».

12.4 Dieu est partout, partout, partout, dans les graffitis, sur les autobus, à Port-au-Prince. Même le Québec des années 1920 ne rivalise pas avec l'intensité de la foi des Haïtiens d'aujourd'hui, et il faut dire que leur ferveur est sans doute décuplée par le grand malheur.

LA RÉPUBLIQUE DOMINICAINE MÉCONNUE DES QUÉBÉCOIS

Arrivé en République dominicaine par la route cabossée depuis Port-au-Prince, à la frontière qui débouche sur la ville de Comendador, j'ai l'impression de changer de planète. La République dominicaine a quelques années-lumière d'avance sur l'ex-« perle des Antilles ».

Le revenu annuel moyen d'un Dominicain est de quelque 5 000 $, ce qui est nettement supérieur au salaire moyen haïtien de quelque 700 $. Un million d'Haïtiens travaillent dans le pays d'à côté, dans les insupportables champs de canne à sucre.

Après un arrêt de près de deux heures au poste des militaires douaniers, une campagne verte et propre avec ses modestes petites maisons multicolores s'offre à nos yeux. Puis, une fois dans la capitale, Saint-Domingue, je suis étonnamment surpris par sa propreté, ce qui n'est pas toujours le cas dans les pays de cette partie du monde, par la profusion de monuments patrimoniaux extraordinaires et par l'omniprésence du drapeau national, qui rappelle celui de Christophe Colomb.

LE BERCEAU DE L'AMÉRIQUE

À la petite école, quand on nous enseignait l'histoire et la géographie, on nous disait du découvreur italien au service de la très catholique reine Isabelle qu'il planta sa croix à San Salvador, une île située à proximité de la Guadeloupe, puis qu'il accosta à Cuba. Mais c'est bel et bien en République dominicaine qu'il décida qu'il y aurait une implantation humaine. C'était en 1496, quatre ans après son premier débarquement. Par la suite, on s'empressa de construire un fort (qui existe toujours) pour se protéger des pirates. Ensuite, il y eut l'imposante cathédrale, qui date de 1514. Chaque dimanche encore, le curé, comme dans le bon vieux temps chez nous, y va à tue-tête de ses avertissements quant aux sept péchés capitaux devant la foule qui bonde sa cathédrale. Il y a également le couvent des Franciscains, où l'on murmure des prières pour la rédemption des âmes perdues.

Avec une bonne centaine d'années de plus que Québec, la capitale de la République dominicaine, Saint-Domingue, s'illustre en tant qu'aînée de toutes les villes des Amériques. Pourtant, beaucoup de voyageurs la boudent pour aller « faire de la plage ». Dommage pour eux !

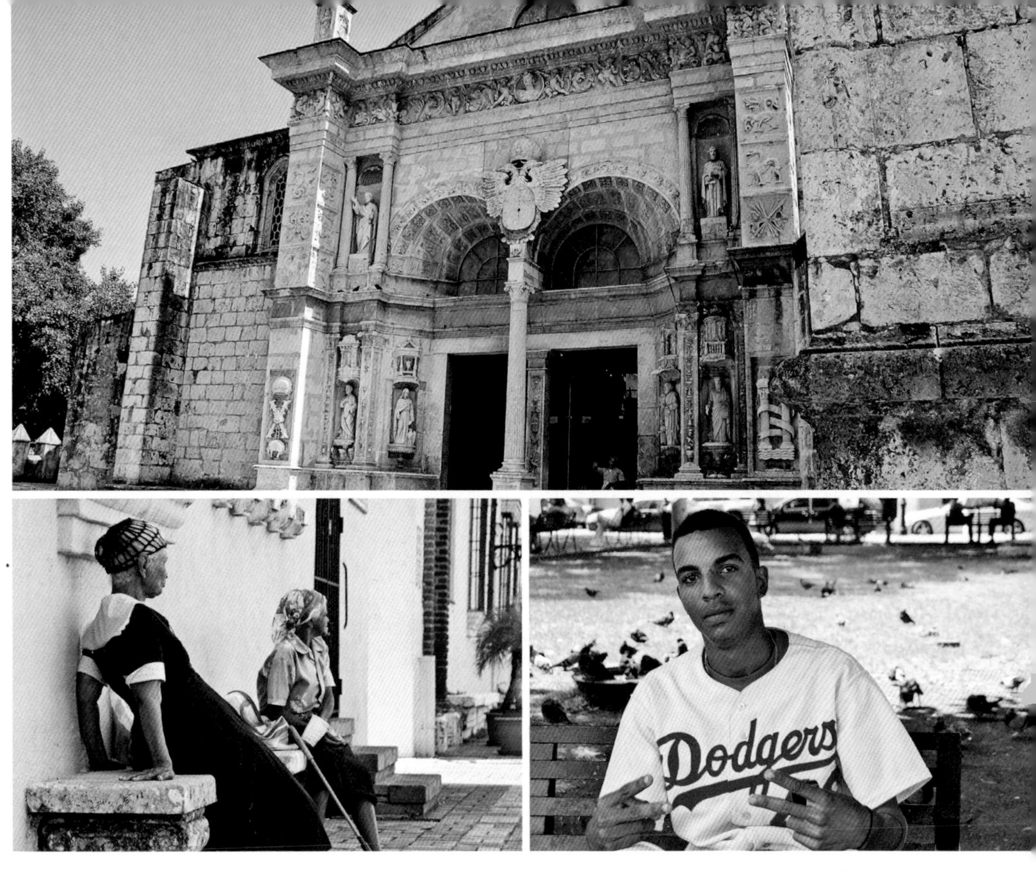

12.5 La cathédrale Notre-Dame de l'Incarnation à Saint-Domingue est la plus ancienne église à l'européenne construite dans le Nouveau Monde. Sa construction commence en 1514 et se termine en 1535, un an après que Jacques Cartier eut débarqué à Gaspé.
12.6 La pauvreté dominicaine est relativisée par le voisinage de la désastreuse Haïti.
12.7 Les Dominicains se targuent d'être les meilleurs joueurs de baseball au monde. Ils fournissent abondamment les ligues majeures américaines.

Où vont normalement les touristes ? À Cabarete, à Marmama, à Punta Cana ou à Sosua, mais cette dernière ville a désormais mauvaise réputation, notamment par la faute de bandits québécois qui en ont fait leur lieu de vacances.

Décidément, Sosua n'a pas de chance. Le dictateur Rafael Trujillo, qui régna sur la République dominicaine de 1930 à 1961, invita la communauté juive d'Europe à y trouver refuge pour fuir la persécution des nazis, voulant ainsi plaire aux Américains qui refusaient ces immigrants et stimuler la croissance de son économie. Il invita 100 000 colons juifs dans son pays ; à peine 650 se prévalurent de cette offre. Par la suite, ce sont des prostituées, des vendeurs de drogue et nombre de bruyants motards – dans plusieurs cas des Québécois – qui ont contribué à ternir la réputation de Sosua. La grande majorité des touristes honnêtes s'est redirigée vers la ville de Cabarete, qui offre une image plus idyllique et où l'on respire un air moins « criminogène ».

13 L'OUGANDA

L'OUGANDA ET LES CROCODILES MANGEURS DE MINISTRES

Un personnage monstrueux a marqué la politique de l'Ouganda : le président Idi Amin Dada Oumee, qui inspirait la terreur non seulement au peuple, mais à l'élite. « Un homme ne court jamais plus vite qu'une balle », aimait-il à dire. On a retrouvé des têtes tranchées de ses ministres dans son congélateur... Impossible de ne pas penser à ce dictateur cannibale en visitant la piteuse capitale de Kampala, où l'on se rend compte que ce pays nourrit mieux ses gorilles que sa population.

Une des visites guidées que j'ai faites dans ce pays très peu touristique a eu lieu au très beau lac Victoria, qui nourrit le Nil et dont les crocodiles sont énormes et gras. À l'époque d'Amin Dada, l'armée leur lançait un si grand nombre de cadavres d'opposants du régime que les bêtes, n'ayant plus faim, ne daignaient même plus y toucher. Ces crocodiles mangeurs de ministres de l'Ouganda sont semblables à ceux qu'honoraient autrefois les Pharaons égyptiens, plus au Nord.

C'est ici l'Afrique équatoriale. Le plus beau souvenir que je garde est celui des orages qui illuminaient tout le ciel du bleu de leurs éclairs pendant parfois presque trente secondes de suite ! Et ces orages duraient des heures ! Le lendemain matin, d'interminables envolées d'oiseaux nous faisaient voir en milliers d'exemplaires la grue royale qui est l'emblème national de l'Ouganda, et que l'on trouve même sur le drapeau.

Au cours d'une visite dans un dispensaire de Médecins sans frontières, j'ai découvert que la clinique avait pour voisin un sorcier qui, dans sa hutte, recevait un nombre de patients égal, voire supérieur à celui des blouses blanches. Comme quoi les deux médecines cohabitent étroitement ou, par prudence, on va voir les deux !

Quant aux gorilles, qui sont la principale raison de visiter ce pays malheureux, je vous en parle dans la section « nature » plus loin dans ce livre.

13.1 Voyez comme la jungle est impénétrable. La machette s'impose pour ouvrir un sentier. Impossible d'avancer sans préalablement faire son chemin. Et rapidement la nature repousse et recouvre ce qui a été ouvert.

13.2 Ces soldats veillent sur la faune. Leurs armes sont munies de dards tranquillisants. Leur travail n'est pas de tout repos, d'autant plus que c'est surtout la nuit que les braconniers agissent.

14 LE SRI LANKA

LE SRI LANKA QUI PHOTOGRAPHIE SES TOURISTES

La Birmanie/Myanmar, le Cambodge/Kampuchéa, Cuba à une certaine époque, la Corée du Nord, etc. Ce club sélect et peu enviable des pays fermés a toujours créé chez moi une envie d'aller y voir, un peu comme jadis les explorateurs marins voulaient aller dans les zones encore inviolées. La curiosité n'est-elle pas une qualité – autant qu'un défaut – propre à l'homme ? Maintenant que toute la Terre est explorée, il ne nous reste que ces régimes paranoïaques fermés comme des huîtres.

Le Sri Lanka a longtemps fait partie de ces endroits interdits. En 2010, je m'y suis finalement rendu. Eh bien, j'ai été un peu déçu. Ma curiosité a été, disons, désillusionnée. Rien de comparable avec la Thaïlande ou l'Inde, où les couleurs omniprésentes et les monuments célèbres attirent des millions de touristes.

14.1 Le délicieux arôme du poisson séché ! Rien que d'y penser, ça ouvre l'appétit !

14.2 Ces ombres dans la pénombre du soleil levant m'ont fait sortir du camion, malgré les cris du guide qui m'avertissait du danger : ces bêtes attaquent souvent les « poux » qui les dérangent. Le photographe humain aime les éléphants, mais la réciprocité est moins évidente.

Par contre, la gentillesse des gens était on ne peut plus remarquable étant donné que la visite était rarissime. L'industrie touristique est désormais la bienvenue, mais les voyageurs sont si rares que ce n'est pas eux qui prennent des photos des Sri Lankais, ce sont les Sri Lankais qui veulent prendre des photos avec ces drôles de créatures que nous sommes, tout en nous laissant une adresse civique illisible dans l'espoir que nous leur envoyions une copie de la photo.

Je m'étonnais de ne plus me souvenir du nom de la capitale et j'ai compris pourquoi quand je l'ai revu : Sri Jayawardenapura.

Les points forts du pays : le thé et le poisson. Excellents ! Mais c'est un peu triste que ce pays de 20 millions d'habitants se distingue aussi peu de ses voisins, dont il semble être une pâle copie. Au risque de me répéter, j'ai eu l'impression que, comme touriste, j'étais plus intéressant pour ce pays que ce pays ne l'était pour moi.

15 CHYPRE

LA RENAISSANCE DE CHYPRE

Cette île pittoresque est une auberge à conquérants : c'est ici que Cléopâtre a rencontré Marc Antoine. La reine égyptienne vantait les vins de Chypre. Deux mille ans plus tard, l'excellence vinicole fait toujours partie des qualités de cette île, où la gastronomie puise ses délices dans la mer nourricière.

Cette destination boudée par les voyageurs en raison des tensions entre les Grecs et les Turcs attire surtout des Britanniques et des Italiens. Pourtant, on est ici plongé en pleine mythologie gréco-romaine. Il y a aussi des sites chrétiens de première importance, notamment ceux marqués par le passage de saint Paul, qui a converti cette île auparavant consacrée à la déesse Aphrodite. Il y a des marinas partout, souvent des vieux pêcheurs habillés à l'ancienne et des popes à la longue barbe blanche qui peignent des toiles pour les touristes. Le héros de l'indépendance grecque en 1960 est lui-même un religieux orthodoxe, Makarios III, surnommé le « Castro de la Méditerranée ».

L'hôtel Ledra, le joyau touristique de Nicosie qui attirait autrefois le jet-set international, est toujours occupé par les Casques bleus, qui l'ont entouré de sacs de sable et de barbelés. Mais il y a longtemps que les Turcs et les Grecs ne se sont pas lancé des cailloux, ce qui permet la renaissance du tourisme. Avec un passeport canadien, il est possible de traverser la frontière et de passer du côté grec au côté turc et vice versa. Du côté turc, les prix sont moins élevés et la population, plus campagnarde, vit de l'agriculture plutôt que de la pêche ; pour les voyageurs, c'est moins intéressant. D'un côté comme de l'autre, la population n'est pas particulièrement chaleureuse ou accueillante, il faut le souligner.

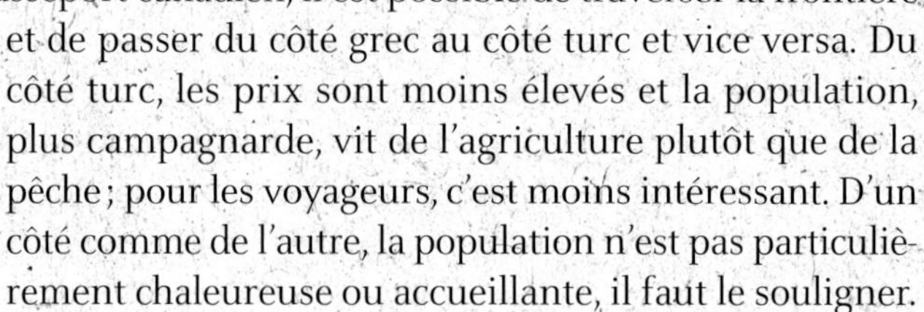

HISTOIRE MOUVEMENTÉE

L'histoire, qui aime l'ironie, a fait de cette île dont Homère faisait la résidence de la déesse Aphrodite (Vénus chez les Romains) un lieu plutôt, à nos yeux,

15.1 En 2003, je pose près de la frontière turco-chypriote où nos soldats ont fourni des Casques bleus pour séparer les belligérants.

voué au dieu de la guerre Arès (ou Mars). Ici, on a inversé le dicton et fait la guerre, pas l'amour...

Ces lieux brûlants sont hantés par le chant obsédant des criquets. C'est drôle, mais, quand on me dit Chypre, la première chose à laquelle je pense, c'est à ce concert d'insectes, ainsi qu'à la canicule accablante.

La chaleur a au moins l'avantage d'inciter les belligérants à boire de l'ouzo plutôt que de palabrer jusqu'à ce que la bagarre éclate.

En 1973, je visitais comme journaliste les Casques bleus du Royal 22e régiment, et eux m'avaient préparé une entrevue avec le jeune vice-président Rauf Raïf Denktash; était-il un devin? Dans une pièce vrombissante du bruit d'un climatiseur et ornée d'un immense portrait d'Atatürk, il évoquait déjà les troubles à venir. Un an plus tard, un coup d'État favorable à l'Énosis (rattachement de Chypre à la Grèce) provoque le débarquement de l'armée turque au nord de l'île. En juillet 1974, le régime des colonels en Grèce s'effondrait à Athènes (alors que je m'y trouvais en voyage de noces...) de même que celui du patriote chypriote Makarios, qui s'exila à Londres.

À l'époque, Chypre avait mauvaise réputation. Les terroristes, qui ensanglantaient le Moyen-Orient, y transitaient, y préparaient leur coup pour frapper les chrétiens du Liban ou les Juifs en Israël. Ce tourisme peu sympathique créait une ambiance pas très propice aux déambulations des voyageurs en culottes courtes.

De nos jours, il y a toujours autant de voiliers. Quant aux terroristes, ils n'ont plus besoin de passer par là parce qu'ils se sentent chez eux (et qu'ils le sont) à Paris ou à Bruxelles, les terres qui les ont naïvement accueillis et qui en paient le prix.

Comme quoi le dieu Arès n'a pas dit son dernier mot, n'en déplaise à Aphrodite!

15.2 Ce pope gagne de l'argent pour son monastère en peignant des toiles pour les touristes.

15.3 Les côtes grecques de Chypre recèlent un nombre faramineux de marinas prêtes à accueillir les pêcheurs locaux et les plaisanciers en voilier.

02 | LA NATURE

YELLOWSTONE | LES PÔLES, LA PATAGONIE, LE GRAND NORD ET LE YUKON | L'ISLANDE | L'AUSTRALIE | LE BHOUTAN ET NÉPAL | LA FRANCE OUTREMER | LES ÎLES FALKLAND | L'OUGANDA, LA TANZANIE ET LE KENYA | LA NAMIBIE | LES GALAPAGOS | L'ÉQUATEUR

1 YELLOWSTONE

MON VOYAGE AU PAYS DES GEYSERS ET DES GRIZZLYS

Ici, les bisons, les élans, voire parfois les ours, aiment bien traverser les routes et encombrer la circulation. « Vous êtes chez nous ici, chers automobilistes pressés », semblent-ils nous dire.

En allant vers le parc de Yellowstone, d'où je suis arrivé de Montréal à l'aéroport de Bozeman, dans le Montana, les abords de la route 191 regorgent de dizaines de croix à la mémoire de victimes de la route. Les allures de cowboys des rangers chargés de faire appliquer la loi ne dissuadent apparemment pas les jeunes épris de vitesse de risquer de perdre leur vie, souvent en heurtant une magnifique bête sauvage mal « protégée » tout près de sa réserve.

Avec 2,2 millions d'acres recouverts de forêt, de prairies, de lacs limpides ou de vallées creusées par de nombreuses rivières (dont la célèbre rivière Madison), le parc de Yellowstone est un sanctuaire pour les animaux sauvages. Pas de gratte-ciel par ici : nous sommes à la jonction des très agraires États du Montana, de l'Idaho et du Wyoming.

Presque anéantis par la bêtise humaine – forte de ses carabines – vers 1903, les bisons ont eu depuis l'occasion de se démultiplier. Leur population atteint aujourd'hui près de cinq mille têtes.

C'est aux présidents Ulysses S. Grant et Teddy Roosevelt que l'on doit cette salutaire recrudescence des différentes espèces après les massacres commis par des paysans en jeans à bretelles et chapeaux de cowboy, qui se faisaient une fierté d'abattre tout ce qui bougeait, surtout les ours et les loups. Malgré la protection dont l'ours bénéficie aujourd'hui, quelque 50 000 spécimens meurent chaque année sur le territoire des États-Unis, surtout en Alaska.

La plupart des morts d'ours ont lieu sur la route, mais il y a aussi des morts naturelles que l'on ne s'imagine pas possibles pour des bêtes

1.1 Ce grizzly habite dans le parc de Yellowstone. Quelque 50 000 ours meurent chaque année sur le territoire des États-Unis, me disait le guide. Parmi les causes : la maladie, la foudre, les morsures de serpent, les automobiles et les chasseurs.

aussi robustes : piqûres d'abeilles, morsures de serpent, électrocution à cause de la foudre, etc. Un sanctuaire animal n'est pas pour autant un lieu de tout repos pour les animaux.

On ne trouve plus de trace des Amérindiens de la tribu dite des Nez-Percés que nous ont fait connaître nos ancêtres de la Nouvelle-France, notamment Cavelier de LaSalle, qui avait établi nombre de traités de paix avec ces autochtones pour confirmer que nous n'avons pas de passé génocidaire – contrairement à nos voisins du Sud. Quand les Nez-Percés et les Sioux ont obtenu des carabines, ils s'en sont aussi servis contre les ours, mais c'était pour manger leur viande, et non pas pour le seul appât du trophée.

1.2 Le lieu appelé Mammoth comporte des « escaliers de sel » naturels. L'interaction entre l'eau et l'argile crée un décor d'un blanc crayeux.

1.3 Le geyser Old Faithfull est le plus célèbre du parc de Yellowstone. Les couleurs magnifiques du lieu enchantent les photographes.

MAGIE HYDROTHERMALE

C'est à Yellowstone que l'on retrouve la plus grande concentration au monde de geysers. Près de Mammoth, des collines fantasmagoriques, pour le plaisir des yeux, déroulent des terrasses de travertin. L'interaction entre l'eau et l'argile crée un décor d'un blanc crayeux. On dirait le travail d'un artiste génial. J'ai fait le tour du monde, mais je n'ai jamais vu de telles beautés naturelles.

Même émerveillement à Old Faithfull, au sud de Madison, lieu de phénomènes hydrothermaux célèbres dans le monde entier. Ici, on trouve des champs de lave multicolores qui raviront l'amateur de photographie. Les odeurs provenant des fumeroles nous donnent l'impression de respirer le parfum de la terre. L'eau colorée peut ici atteindre les 93 °C, alors n'apportez pas votre maillot.

MONTÉE VERS LES LOUPS

Les élans, les chevreuils et les bisons ne se gênent pas pour faire acte de présence jusque dans les villes. Par contre, il faut grimper jusqu'à plus de neuf mille pieds d'altitude pour arriver au pays des grizzlys, des loups et des aigles à tête blanche qui, perchés en haut des arbres, agissent symboliquement comme les « douaniers » du royaume.

Je vous avertis : un grizzly de quelque huit cents livres qui grogne et qui se dresse sur ses pattes, ça impressionne. Du haut de ses douze pieds, ce « géant Beaupré de la forêt », loin de nous menacer, hume l'air à la recherche de nourriture que son odorat peut détecter sur une distance de quarante kilomètres.

En fin de journée, nous verrons des loups. Ceux-ci nous signalent leur présence par des hurlements qui nous laissent songeurs. On est heureux de ne pas se trouver seul et sans défense parmi ces magnifiques canidés. Complètement éteinte au début du XXe siècle, cette race a été réintroduite dans les années 1990 grâce à des spécimens importés du Canada.

Si par malchance vous ne parvenez pas à voir des animaux sauvages dans la nature, vous en trouverez en visitant le Grizzly and Wolf Discovery Center, un lieu d'interprétation.

Le parc de Yellowstone est touristiquement actif toute l'année. Pour y circuler, vous monterez dans un véhicule sur chenilles. Les neiges de la montagne Big Sky attirent des milliers de sportifs de tous les coins de l'Amérique. Quant aux geysers et plans d'eau hydrothermaux, ils ne chôment pas pendant la saison froide.

Beaucoup d'hôtels ici portent des noms d'animaux. La plupart sont peu chers et sont confortables. Quant à la gastronomie, oubliez ça! Vous êtes aux États-Unis, le pays le plus avancé au monde qui a oublié d'apprendre à manger. Des milliers de jeunes obèses vous en fourniront la preuve visuelle. La seule consolation à table, c'est le petit 1 % de taxes sur la facture du restaurant!

Meilleur temps pour s'y rendre: en juillet et en août, les températures atteignent 20 °Celsius en moyenne le jour, et il peut geler la nuit. En septembre et au début octobre, le climat peut être très agréable, les visiteurs sont moins nombreux et la faune abondante.

1.4 S'il y a des gens qui aiment la nature, ce sont bien les Amish. Cette jeune famille est venue visiter la merveille nationale.

1.5 On dit du mal du loup, mais il s'agit d'un animal fidèle en amour.

2 LES PÔLES, LA PATAGONIE, LE GRAND NORD ET LE YUKON

LA PARADOXALE CHERTÉ DES ZONES FROIDES

Dire que des centaines de milliers de Québécois rêvent de forfaits abordables dans le Sud pour être au chaud ! Il y a quelque chose de très ironique au fait que les destinations de voyage les plus affreusement chères sont celles qui sont situées le plus au nord, dans des terres grises et froides où l'on sert de « buffet humain » aux nuages de maringouins voraces – quand il ne pleut pas.

Aller de Winnipeg à Churchill, au bord de la baie d'Hudson, est plus onéreux qu'un vol Montréal-Paris. Tous les vols vers les villages perdus du Grand Nord canadien coûtent une fortune. Cela a pour conséquence d'anéantir le tourisme nordique chez les jeunes. Il faut de vieux riches pour se payer ce genre de forfait à 2500 $ la fin de semaine afin de voir des ours polaires qui ne sont pas toujours au rendez-vous.

Le Nord ? On y mange mal et les épiceries vendent de la pizza surgelée pour 15 $. Les hôtels sont généralement médiocres pour des prix exorbitants. Pourquoi y va-t-on, alors ? Il faut être un peu blasé d'avoir vu tous les recoins de la Terre et désirer vivre des sensations fortes. Certes, il y a les aurores boréales, les ours polaires, les grizzlys et les loups.

Pour moi, c'est fini. Le Yukon, deux fois. L'Alaska, trois fois. Churchill, trois fois.

L'alcool fait des ravages par ici, quand ce n'est pas le « sniffage » de colle. La seule communauté amérindienne nordique qui semble faire des efforts réels pour raviver sa culture, ce sont les Haïdas, en Alaska, qui sont très présents dans l'industrie touristique et dans les métiers spécialisés.

2.1 Plus l'avion est petit, plus le billet coûte les yeux de la tête. Les aéroports qui ressemblent à des hangars et qui accueillent seulement quelques vols par semaine – et qui sont fermés le reste du temps – sont typiques du Nord.
2.2 Ces huskies tout mignons vivaient dans une boîte dehors. Ces chiens nordiques sont réputés pour être les plus résistants du monde. Le froid semble les indifférer.

LES GLACES FRAGILES DU GRAND NORD

Tous les deux ou trois ans, je retourne aux pôles, où les terres, isolées, sont coupées du monde par une nature hostile qui les rend inaccessibles. Je laisse aux autres les joies de la plage et du soleil ! Je préfère le grand froid, l'air pur et les cabines exiguës, rudimentaires, et les petits bateaux d'aventuriers où ça brasse.

Premier arrêt : Iqaluit, la capitale du Nunavut, anciennement Frobisher Bay. J'arrive ici en venant d'Ottawa dans un vieil appareil de Nolinor acheté à Air Maroc (avec inscriptions bilingues français/arabe) et qui refuse de prendre sa retraite. Cet avion transporte victuailles et courrier aux Inuits. En sortant de la cabine, en Terre de Baffin, je vois la terre rougeâtre, aplatie et usée par les glaces.

C'est le royaume de l'ours polaire – ou plutôt son ancien royaume puisque les hivers n'arrivent plus assez vite. Parlez-en aux chasseurs-pêcheurs frustrés par la glace trop mince. Autant à Pond Inlet, au Canada, qu'à Uummannaq, au Groenland, on parle de fermer des villages faute d'hivers rigoureux. Eh oui ! Le réchauffement climatique est de plus en plus tangible, n'en déplaise aux climatosceptiques !

2.3 Cet intrépide petit bateau nous rappelle l'époque des grands aventuriers.
2.4 Des icebergs se dressent près du port d'Uummannaq.

Prochaine étape, toujours en avion : Resolute Bay, sur la route du passage du Nord-Ouest. C'est là que j'embarque pour douze jours à bord du vaillant *Ocean Endeavour*, où le personnel, hautement sensibilisé à l'amour de la nature, nous parle des quarante-deux parcs nationaux du Canada, dont certains sont encore plus au nord que notre bateau et reçoivent à peine une dizaine de visiteurs par année.

L'*Ocean Endeavour* se faufile entre les banquises qui craquent et les icebergs qui fondent. Il fait entre 2 °C et 12 °C, ce qui est trop chaud pour la saison, me dit-on.

Le long des berges et des falaises silencieuses, un rarissime ours polaire nous observe comme un douanier encore fier de son territoire que le réchauffement dénature.

Dire que cette pauvre bête ne peut pas faire cent pas sans avoir une carabine télescopique pointée sur elle ! Les Inuits, qui ont le droit de chasser à longueur d'année, peuvent recevoir plus de 6 000 $ par bête vendue d'avance à des clients asiatiques. Quel affreux commerce !

À l'île Beechey, un matin, un vent violent balaie la terre déserte et me brûle les joues. C'est là qu'on a découvert les restes de l'aventurier britannique Sir John Franklin, abandonnés depuis 1845. Ils étaient cent vingt-neuf marins dont les bateaux se sont pris dans les glaces, à la recherche du fameux passage du Nord-Ouest. Quelques pierres tombales marquent ce lieu sinistre où de vaillants aventuriers sont morts de froid et de faim.

À Arctic Bay, Ikpiarjuk en inuit, un bout de terre occupée par l'homme depuis cinq mille ans, je me retrouve au fond d'un fjord où se dresse un village de quelque six cents habitants tous équipés de quatre-roues et de motoneiges payés par le fédéral.

Les femmes inuits d'ici demeurent attachées à leur habillement traditionnel, ce que je salue ! En comparaison, les Inuits du Groenland semblent plus prospères, plus heureux, en meilleure santé, mais indifférents à leur costume national – dont ils étaient pourtant fiers il y a tout juste vingt ans, lors de ma dernière visite.

J'ai l'honneur de poser le pied sur l'île de Devon, où la Compagnie de la Baie d'Hudson s'est établie en 1616, soit un quart de siècle avant la fondation de Montréal.

Arrivé à Pond Inlet/Mittimatalik, on est au royaume du narval, quoique je n'aie pas eu la chance d'en voir. Les Inuits sont fiers de nous montrer leur centre culturel, où un spectacle nous attend. Hélas ! Partout où l'on passe, il y a de pauvres ours polaires « taxidermisés ». Sommes-nous censés nous réjouir de voir ces bêtes mortes ?

Devant l'étroit fjord Isabella, notre capitaine fait marche arrière en raison d'un épais brouillard. Incroyable de penser qu'en 1998, ces eaux étaient impénétrables en raison de la glace, qui a aujourd'hui totalement disparu.

2.5 Un ours polaire qui fait son timide à Churchill, au Manitoba.

En entrant dans les eaux du Groenland, un bateau battant pavillon danois nous escorte dans le fjord Karat, où d'insolites icebergs nous étonnent. Ces trophées de mer semblent être les œuvres d'artistes de la terre et de la glace.

LA CALOTTE GLACIAIRE

Le village d'Uummannaq est extrêmement photogénique avec ses petites maisons multicolores.

Nous approchons du plus grand réfrigérateur et producteur d'icebergs au monde : Ilulissat. Nous y observons de près, en zodiac, ces cathédrales des mers qui finiront par aller fondre près de Terre-Neuve.

Un spectacle incroyable m'attend à Itilleq : j'y vois la calotte glaciaire, à perte de vue. C'est la plus grande île du monde.

Mon périple nordique prend fin à Kangerlussuaq, à l'ouest du Groenland. Un avion québécois me ramène dans un Montréal « bouillant » à 28 °C.

2.6 Cette photo d'un voilier russe nous rappelle l'époque des grands aventuriers du XIXe siècle.

2.7 J'aime bien cette vieille photo argentique que j'ai fait numériser : cet éléphant de mer me laisse savoir que je ne suis pas le bienvenu près de lui.

2.8 Promenade solitaire sur un chemin d'Ilulissat.

MES PÉRIPLES AU PÔLE SUD

En l'an 2000, pour la première fois, je perdais le Nord, littéralement, pour aller plein Sud, jusqu'en Antarctique. Pour faire exotique, mon bateau, petit – cent passagers – et vétuste, est aux mains d'un équipage russe, et les vagues du détroit de Drake nous secouent comme une coquille. Impossible de ne pas songer aux marins intrépides qui ont péri par ici. Je n'avais jamais pensé mourir dans un naufrage, mais, pendant cette traversée, ça m'a souvent effleuré l'esprit.

Il faut dire que l'équipage russe, adepte de la vodka, nous a fait jouer du Céline Dion comme pour rappeler le sort du *Titanic*. Le bateau se frottait parfois en grinçant à ces banquises façonnées par les vents furieux et je ne pouvais alors que songer au sort funeste du vaisseau soi-disant insubmersible. Ce bateau, le *Lyubov Orlova*, du nom de l'actrice russe préférée de Joseph Staline, a depuis été abandonné et, il y a quelques années, il faisait les manchettes des tabloïds britanniques, qui titraient: « Un vaisseau fantôme peuplé de rats cannibales se dirige vers l'Angleterre. » Une triste fin pour ce vaillant navire qui a traversé tellement d'intempéries. Mais il a ressuscité! J'ai eu la surprise de le revoir, entièrement rénové, d'un blanc immaculé, sur la mer. Voilà un destin étonnant pour un bateau!

Puis sans transition, c'est le calme plat. Le paysage est grandiose, majestueux et, pour tout vous dire, terrifiant. « Gare à vous si vous tombez en panne », nous prévient cette nature inhospitalière.

Le bateau glisse entre les banquises qui grossissent de plus en plus en approchant la

2.9 Moi en bonne compagnie en l'an 2000.

2.10 Baignade dans les eaux chaudes de Deception Island.

2.11 L'affreux détroit de Drake. Mal de mer garanti!

2.12 La côte inhospitalière est certes magnifique, mais rebutante ; on n'a pas envie de tomber en panne par ici.

côte. Je salue les manchots tout en frôlant une gigantesque falaise de lave noire. Des oiseaux pétrel de l'Antarctique survolent notre navire comme les éclaireurs d'une armée qui nous attend au détour.

À bord d'un Zodiac, nous allons visiter une station scientifique tenue par deux Britanniques à l'intérieur de laquelle se trouve un bureau de poste. Comme tout bon visiteur, je décide de m'autoposter une carte, pour le magnifique timbre, qui transitera par Londres et mettra trois mois à parvenir à Montréal. Ces scientifiques qui nous reçoivent répondent patiemment à nos questions qu'ils se font probablement poser systématiquement : que font-ils quand le mercure descend en hiver à -60 °Celsius ?

Je suis frappé par les couleurs du paysage : il y a du rose, du mauve et du blanc. Devant un tel tableau, il est impératif de s'arrêter pour rendre hommage à la Création. En 2012, je suis retourné en Antarctique à bord d'un monstre des mers, dans un confort bourgeois, sans brassage excessif, et sans même pouvoir descendre du bateau. Un conseil : allez-y avant qu'il ne fasse trop chaud ! La température globale augmente partout. Le continent blanc qui accueille beaucoup trop de bateaux vient à peine de discipliner l'industrie touristique en interdisant l'entrée dans son royaume de tranquillité aux monstres des mers ayant trois ou quatre mille personnes à bord.

Il y a quelque chose de magique et de contre nature dans le fait de se baigner bien au chaud si près des glaciers du pôle Sud. En 2000, croyez-le ou non, ça brassait autant sur le gros paquebot que sur le petit. Imaginez ce que ça devait être à l'époque des explorateurs !

Il est difficile de supporter la chaleur de l'eau quand on se baigne dans le collet volcanique de l'île de la Déception. Même le sol est brûlant. Mes semelles surchauffaient. Sur cette île, une éruption, en 1970, a chassé les baleiniers britanniques et chiliens qui se partageaient les lieux tout en se chamaillant. En conséquence, des déchets, des bâtiments et des carcasses d'avion n'ont pas été rapportés, ce qui fait surtout jacasser les manchots qui peuplent cette base fantôme rouillée.

2.13 Lors d'une rare percée de soleil, ces manchots se prélassent sur la banquise comme s'il s'agissait d'une plage.

MAGNIFIQUES DÉTRITUS

Peut-on imaginer que dans l'Antarctique, le continent le plus blanc de la terre, là où l'air est le plus pur du monde, l'homme, animal peu raisonnable, a oublié de rapporter chez lui les bâtiments, citernes et autres carcasses, qu'il a tout bonnement laissés sur place ? On comprend mal pourquoi la communauté internationale n'oblige pas ceux qui ont sali la nature de ces coins perdus à nettoyer les lieux.

Paradoxe : bizarrement, ces gigantesques réservoirs d'essence rouillés et ces déchets humains attirent les touristes. Quelque chose en nous fait que nous préférons souvent la magie des ruines, des villages fantômes, des carlingues rouillées d'avions laissés sur place aux reconstitutions ou aux restaurations. En fait, en règle générale, on peut dire qu'un village fantôme est beaucoup plus intéressant à visiter qu'un village habité ! Un peu comme une épave dans la mer attire non seulement les poissons et le corail, mais aussi les plongeurs, les détritus qui hantent les lieux déserts de l'Arctique ou de l'Antarctique sont tous des attractions touristiques !

Ailleurs, le décor est magnifique, mais il n'y a rien ; en revanche, quand il y a une ruine pour contraster avec le paysage, c'est beau. Avis aux amateurs de photographie ! Vous me direz que j'ai commencé ma chronique en dénonçant la pollution et que je la finis en faisant l'éloge de la poésie des ruines. Oui, c'est un peu vrai. Les vestiges humains délabrés nous rappellent notre fragilité.

2.14 Sur l'île de la Déception, en Antarctique, il n'y a aucun habitant, mais il reste des déchets sur deux anciennes bases baleinières chilienne et britannique aujourd'hui peuplées de manchots.

2.15 Cet avion, abandonné en Antarctique, intéresse davantage les gens dans son piteux état actuel qu'à l'époque où il était actif ! Pourquoi les Britanniques l'ont-ils laissé là ? Par paresse ? Savaient-ils que les rares visiteurs du continent blanc s'y feraient presque tous prendre en photo ?

2.16 Dans le Grand Nord, à Churchill, cet avion qui s'est posé en catastrophe là en 1979 et dont le pilote a survécu s'appelle Miss Piggy. Il est aujourd'hui un centre d'attraction pour ceux qui visitent ces lieux où les ours polaires ne sont pas toujours au rendez-vous.

2.17 Ce cargo qui transportait du nickel, le *SS Ithaca*, s'est échoué sur la rive de la baie d'Hudson en 1961. Il fascine désormais les visiteurs.

LE ROI DU NORD RISQUE DE PERDRE SA COURONNE

Que ce soit au nord du Canada, du Québec, du Groenland ou de la Russie, le roi du Nord, l'ours polaire, qui attire des milliers de touristes, est menacé de perdre sa couronne.

Plus besoin de convaincre le lecteur de la fonte des neiges, il suffit d'aller voir le territoire des ours polaires pour les découvrir décimés par la famine tant les glaces mettent du temps à se former.

Des scientifiques japonais ont tenté il y a quelques années de transplanter des ours polaires au Pôle Sud, en Antarctique; tous ont connu un sort fatal. Certains écologistes redoutaient l'introduction d'un superprédateur dans l'écosystème des manchots et des morses.

Pour m'approcher de ces animaux, je suis allé à Churchill, au Manitoba, trois fois, à la Terre de Baffin, au Groenland et en Alaska à trois reprises – où j'ai plutôt vu des grizzlys, eux aussi prochainement menacés.

Dans les lieux touristiques associés aux ours polaires, même la faune est de moins en moins souvent au rendez-vous. En 1997, à Churchill, j'en ai vu des centaines; en 2012, c'est à peine si j'ai pu en admirer une trentaine.

J'ai déjà survolé ces plantigrades géants en hélicoptère; ce fut mémorable, mais ensuite je me suis dit que ces pauvres bêtes doivent être fatiguées d'entendre ces incessants bourdonnements, elles qui sont faites pour vivre dans un monde dominé par le bruit du vent.

LES NOURRIR OU PAS ?

Menacé par la faim et par l'homme – ou plus précisément par ses fusils –, l'ours polaire pourrait ne plus exister dans quelques générations. Voilà pourquoi je m'étonne d'entendre parler d'ours abattus chaque été, parfois parce qu'ils ont griffé un campeur en lui volant sa nourriture. C'est nous, les envahisseurs! Ils se trouvent sur LEUR territoire.

La logique qui consiste à tirer sur tout ours qui a attaqué quelqu'un ou qui vient trop souvent se promener en ville me semble perverse. À Churchill, au Manitoba, une prison à ours polaires est parfois obligée d'euthanasier les multirécidivistes. On relâche les bêtes très loin au nord dans l'espoir qu'elles ne reviendront plus en ville, mais parfois, elles remontrent le bout de leur nez. Il faut dire que leur odorat porte jusqu'à quarante kilomètres.

2.18 Ce grizzly que j'ai pu photographier au parc de Yellowstone a toute une gueule ! Ce lointain cousin de l'ours polaire, qui peuple le Yukon et l'Alaska, est le prochain sur la liste des espèces menacées.
2.19 Je n'ai pas plongé pour prendre cette photo, rassurez-vous ! Ce plantigrade nage dans un aquarium muni d'une baie vitrée au zoo de Saint-Félicien. Comme quoi réussir à voir le roi du Nord n'est pas réservé qu'à ceux qui ont plusieurs milliers de dollars à investir dans un voyage dans le Nord.

Et si – je pose la question – on les nourrissait ? J'en vois parmi vous qui sursautent ! Quoi de plus contre nature que de nourrir les animaux sauvages ? Je veux bien, mais ces ours viennent en ville parce qu'ils sont affamés. C'est encore la faim qui les envoie plus au sud, chez les campeurs.

Si vraiment le réchauffement climatique les prive de nourriture, pourquoi ne pas pallier le problème en leur fournissant parfois de la nourriture directement dans leurs territoires naturels les plus reculés ? On les inciterait ainsi à y demeurer. Pour l'instant, on ne les nourrit pas et, quand ils viennent en ville, on leur tire dessus, ce qui n'est pas beaucoup moins contre nature.

Quant aux corps de police du Québec, ils auraient grand besoin d'une formation pour apprendre à traiter avec la faune.

Chose étonnante : on condamne souvent les zoos comme s'ils étaient des « camps de concentration » pour animaux, mais c'est à se demander si ce n'est pas un havre de paix, voire une sorte d'asile ou de refuge, pour leur permettre de se reproduire. Au Québec, le zoo de Saint-Félicien, dont le climat est approprié pour les animaux nordiques, héberge plusieurs spécimens du roi du Nord.

HYPERACTIVITÉ TOURISTIQUE EN ALASKA

Si pendant longtemps l'Alaska et le Yukon ont attiré les aventuriers à la recherche d'or, cette région séduit maintenant surtout des touristes douillets qui restent au chaud dans leurs gigantesques monstres des mers.

Ce qui m'a frappé en Alaska, c'est cette affiche sur laquelle il était écrit: « Quiconque prétend avoir vu tous les coins cachés de la Terre et n'a pas goûté à l'Alaska ne sait pas ce qu'est l'émerveillement! »

J'y suis allé à trois reprises, y compris en 1975 sur un magnifique bateau en bois du Canadien Pacifique, le *Princesse Patricia*, qui a malheureusement brûlé depuis. J'avais alors été en contact avec les décors féeriques, avec l'abondante nature sauvage et avec quelques tribus amérindiennes, dont les Haïdas, qui faisaient des efforts dans leurs spectacles pour ressusciter leur langue dans un contexte de mondialisation qui détruit les cultures locales.

Cet Alaska d'essence tsariste, où les Amérindiens ont d'abord été convertis à l'Église orthodoxe par des popes, garde encore un cachet russe. Le navigateur Ivan Fedorov est parvenu sur les côtes du nord de l'Alaska en 1732. La Russie exploitait le territoire un peu comme la France: pour importer des fourrures. Si le Canada a eu ses coureurs des bois, on peut dire que les Russes ont eu des coureurs des glaces.

Et tout comme l'empereur français a vendu la Louisiane à Jefferson, le tsar a vendu l'Alaska, que son armée ne pouvait pas défendre, aux Américains. Avec cet État américain au nord du Canada et avec la peur de voir la Colombie-Britannique devenir américaine, on a alors construit le chemin de fer Est-Ouest pour unir le pays « d'un océan à l'autre » sur le dos des Métis.

Dans les années 1990, avec les gros bateaux et les milliers de touristes, les aigles, les grizzlys et les baleines se sont raréfiés. Des hélicoptères volaient alors partout! C'est la gouverneure Sarah Palin, de qui plusieurs aiment se moquer, qui a légiféré pour réduire l'afflux de touristes près de la Baie des Glaciers, où la faune s'est régénérée.

2.20 Cette pittoresque ville est arrosée presque en permanence pendant l'été. N'oubliez pas votre parapluie ou votre imperméable! Cette municipalité se targue d'être la capitale américaine de la pluie. Tout le contraire d'Acapulco avec son quart d'heure de pluie annuel!

2.21 Du pont, avec des jumelles et un peu de patience (et un bon chandail de laine!), on aperçoit assez souvent des animaux sauvages, comme des loups et des grizzlys, sur la côte. Photographes, apportez votre téléobjectif!

LA PURETÉ DU YUKON

Ils fondent à vue d'œil! Les glaciers gigantesques semblent pourtant éternels lorsqu'on les admire. Au Yukon, dont la splendeur vaut celle de l'Alaska, ces monstres de glace peuvent être survolés.

Les plus sportifs et audacieux peuvent s'y aventurer à pied, mais gare aux crevasses sournoises dans lesquelles certains randonneurs restent coincés. C'est beau, un glacier, mais on n'a pas envie d'y finir soi-même congelé comme un mammouth et attendre la fonte dont on parle tant pour resurgir.

Regardez la splendeur de ce spectacle. Tout paraît figé, mais c'est une illusion. La glace épaisse de plusieurs kilomètres parfois circule, extrêmement lentement, mais inexorablement, dans ces canaux qu'elle creuse par son mouvement incessant.

Seuls quelques petits animaux et des oiseaux vivent dans ces glaces. Aucun grand prédateur terrestre ne s'y risque. Il vaut la peine de se payer un tour d'avion ou d'hélicoptère au-dessus des splendeurs d'un glacier.

FIERS YUKONAIS

Le Yukon jouit encore de la présence d'une population éparpillée ici et là qui respecte le territoire. Les Allemands, qui fantasment sur le Grand Nord en lisant Jack London, sont nombreux à s'installer ici. Plusieurs ouvrent des auberges ou dirigent des entreprises de rafting ou de traîneaux à chiens. Bref, les Yukonais, pour la plupart, sont fiers de leur territoire: ils ont choisi d'y vivre.

2.22 Ce paysage lunaire glacial offert par ce glacier de la réserve de Kluane pourrait être celui d'une autre planète. Inquiétant de penser qu'il n'y a pas si longtemps, cette vallée était recouverte de glace. Il reste maintenant du limon et un lac aussi bleu que frigorifique.

2.23 Pour prendre la mesure de l'immensité du glacier, il faut le survoler en avion. Ça vaut la peine.

Ces habitants dévoués sont une bonne chose puisqu'ils voudront prévenir les ravages d'un tourisme trop abondant qui s'accentue en Alaska. Enfin, si vous avez le choix entre l'Alaska et le Yukon, je vous suggère ce dernier, plus pur et plus authentique.

PATAGONIE : LE ROYAUME CACHÉ

C'est du petit village de Puerto Natales que part mon excursion, qui durera onze heures. Moi qui pensais que l'Islande n'avait pas de concurrent en matière de beauté naturelle, je découvre en Patagonie sa plus proche rivale.

Après l'anse de la Dernière espérance, par un froid de 3 °Celsius au cœur du mois de juillet – hivernal dans l'hémisphère sud –, nous découvrons une incalculable variété de paysages, tels que la forêt feuillue de Magellan, puis les vastes et arides steppes patagoniennes balayées par les vents. Chandail et coupe-vent suffisent à peine.

Des lacs parfois verts, gris ou bleus, peuplés de nombreux oiseaux de mer, servent de grands miroirs aux cascades et aux montagnes en dents de scie avec leurs sommets de granit.

Le panonceau indique que nous circulons sur la « route de la Fin du monde ». Le vent qui siffle nous rappelle que nous sommes à la porte de l'Antarctique.

Du haut d'un cap, je vois une auberge, fermée pour la saison froide, et un camping, qui me donne envie de revenir ici pendant l'été austral. Chose intéressante : le maringouin est rarissime. Les alpagas sauvages, ces cousins du lama, broutent en paix, pendant que nous nous promenons autour d'eux. Sur les rives du lac Gray, il est possible d'admirer des icebergs brillants et bleutés, détachés du glacier en toile de fond. Des condors planent au-dessus de nos têtes à la recherche de leur pitance. Malheureusement, je n'ai pas vu de puma, ce grand chat emblématique de la Patagonie qui est en voie de disparition et que la loi protège des adeptes de la gâchette.

Devant cette nature, œuvre de la Création, je n'ai pu faire autrement que d'interroger ma foi.

USHUAÏA

Que dire de cette ville dont le nom mythique signifie « au fond de la crique » ? Ushuaïa est un peu comme le Saint-Sauveur de l'Argentine, une ville ultratouristique.

2.24 Ces sommets de granit sont monumentaux ; oui, on se sent au bout du monde devant un tel spectacle, gracieuseté de la Création. Le granit a la particularité de changer de couleur avec les variations d'intensité du soleil.

Ce qui attire les foules ici, en plus des montagnes pour le ski, c'est le fait que ce bout de terre est situé à l'extrémité sud du continent sud-américain. En juin, c'est donc l'hiver et on annonce des soldes pour l'équipement de ski; en décembre, on est au plus fort de l'été. C'est le monde à l'envers.

Vous vous souvenez du bateau russe dont je vous ai parlé plus tôt? C'est ici que je m'y suis embarqué pour aller sur le continent blanc.

Pour parvenir à Ushuaïa, on transite par Buenos Aires, plus au nord, qui se veut le Paris de l'Amérique latine, avec ses lacs, ses parcs et ses gratte-ciel ceinturés, malheureusement, par des bidonvilles.

Au cœur de cette ville, il y a le quartier La Boca, d'où le tango est originaire. Cette danse initialement honteuse, car elle impliquait des prostituées et des matelots, est devenue une mode à Paris... et soudain, les Argentins en sont devenus fiers. Comme quoi nul n'est prophète en son pays!

2.25 Vous approcher du lac Gray, parsemé de glaciers, vous fait vous sentir minuscule.

3 L'ISLANDE

L'INTELLIGENTE ISLANDE

L'Islande est le pays le plus instruit du monde. Les descendants d'Éric le Rouge sont civilisés : l'Islande ne compte plus ses librairies et ses bibliothèques, ses troupes de théâtre et de ballet, ses orchestres philharmoniques et symphoniques, et ses deux universités – tout cela pour 331 000 habitants ! Dites-vous que Laval en compte plus de 423 000.

Bombardier y a installé une grande usine en raison de la géothermie qui lui fournit de l'énergie, sans oublier la « matière grise » qui ne manque pas. L'Islande est un pays très pieux, où domine l'Église luthérienne, imposée par le roi Christian III du Danemark, au XVIe siècle. Dans la capitale, Reykjavik, on trouve l'ancien parlement du pays, qui date de l'an 930, et qui fut fondé par Éric le Rouge, dont le fils, Leif Ericson, a découvert l'Amérique (Terre-Neuve) quatre cents ans avant Christophe Colomb.

L'ISLANDE DES COULEURS

À seulement cinq heures d'avion de Montréal, l'Islande est moins loin que l'Europe. Tout amateur de photographie devrait visiter ce pays tellement magnifique que même un appareil médiocre vous donnera de belles images. On peut être longtemps bouche bée devant la beauté des lieux.

Ce pays beaucoup plus au nord que le nôtre est réchauffé par le Gulf Stream et par l'énergie issue du sol qui regorge d'activité volcanique. Les noms de lieux sont tous imprononçables pour nous, pauvres latins. Souvenez-vous du volcan qui a fait éruption en 2010 et qui a perturbé le trafic aérien. Il s'appelait le Eyjafafjallajökull.

Un peu comme les Français qui viennent au Québec, fascinés par nos automnes multicolores, nous sommes stupéfaits par les merveilles géologiques de ce pays accidenté et rocailleux. Les jeunes excursionnistes viennent de partout dans le monde pour faire du camping dans les vallées le long des rivières limpides. C'est mon fils qui m'a convaincu de venir ici. Il venait d'y passer quinze jours à randonner. Il avait choisi cette destination parce que je n'y étais jamais allé !

Ce pays est comme un gros village ; attention si vous vous plaignez d'un commerce ou d'un Islandais à un autre Islandais... Ils se connaissent tous.

Vos ragots aboutiront rapidement dans les oreilles de la personne visée. Vous êtes avertis ! Le gros défaut : ça coûte cher. Surtout la nourriture. Une pizza toute garnie pour une seule personne m'a coûté 30 $.

3.1 Voyez-vous le couple minuscule dans ce paysage islandais qui offre comme un mélange des Îles-de-la-Madeleine et des Galápagos ?

3.2 La capitale de ce petit pays intelligent, Reykjavik, ne frappe pas par son faste. On dirait Baie-Comeau ! Mais le niveau culturel de la population est extrêmement élevé... élevé comme le prix de la vie (le double ou le triple d'ici) ! Dans ce pays où tout le monde ou presque fréquente l'université, tout le monde va aussi à la messe du dimanche et les mœurs sont très libérales. Voilà des contradictions, du point de vue québécois.

3.3 Ce flanc de lac volcanique ressemble à la palette d'un artiste-peintre. Ce volcan est mort, mais il demeure flamboyant.

4 L'AUSTRALIE

AUSTRALIE : PAYS DES CONTRASTES

Cette île-continent est à plus de 90 % sauvage et remplie de déserts. Cet ancien bagne de l'Empire britannique a déjà accueilli certains de nos patriotes châtiés au lendemain de la rébellion de 1837-1838.

De cette terre chaude est sortie une nation costaude et on ne peut plus fière. Si son littoral est fort beau et riche en culture – pensons à l'opéra de Sydney –, l'intérieur des terres ne l'est pas moins : les dessins rupestres de Kimberley et Ayer's Cliff datent de plusieurs dizaines de milliers d'années. Certains soutiennent que c'est sur ces terres, jadis très différentes, que l'humanité civilisée est apparue. On a retrouvé ici un squelette humain fossilisé vieux de 40 000 ans surnommé l'homme de Mungo. Il y a également des animaux dangereux à foison : serpents venimeux, crocodiles, araignées, etc.

Les aborigènes ne forment pas un groupe homogène : ils ont deux cent cinquante dialectes différents – une vraie tour de Babel ! Ces cultures humaines en perdition aujourd'hui sont parmi les plus anciennes du monde. Pourtant, l'Australie est un pays jeune – plus jeune que le Canada. Son découvreur, le capitaine Cook, a fini, comme son nom le dit, cuit... dans une marmite hawaïenne !

4.1 Cette femme a exigé des sous pour se laisser prendre en photo, mais pas question pour elle de sourire. Elle est de la tribu surnommée « Bush », en raison des buissons qui pullulent sur son territoire, et qui manifeste une distance hostile envers les Blancs.

5 LE BHOUTAN ET LE NÉPAL

ÉCOLOGIQUE ET INACCESSIBLE BHOUTAN

Beaucoup d'incultes aiment se dire écologistes et citoyens du monde. Pourtant, quand on les met au défi de nommer le pays le plus écologique de la planète, ils ne savent pas quoi répondre. Ce jardin d'Éden, c'est le Bhoutan, un pays de moins d'un million d'habitants, dans le creux de l'Himalaya, juste à côté du Tibet « chinois ».

En raison de la formidable chaîne de montagnes, ce royaume manque de soleil. Ici, on ne veut pas attirer des hordes de touristes qui jettent leurs canettes ou leurs mégots de cigarette par terre. Le gouvernement ne délivre que trois mille visas par an. J'ai donc été extrêmement privilégié de pouvoir visiter cette contrée pauvre, mais heureuse, qui a même inventé la notion de « bonheur national brut » pour contrer celle de « produit national brut ».

Personne ici ne s'habille à l'occidentale. Difficile de trouver une nation plus fidèle à sa propre culture. Le Bhoutan n'a la télévision que depuis une dizaine d'années et le contenu des émissions n'a rien de comparable à nos sottises !

Thimphou, la capitale, se trouve souvent dans le brouillard. Il s'agit de la plus grande ville de la région, avec 100 000 habitants. Même cette « zone urbaine » ressemble à une forêt. C'est là dans son palais que le roi dirige sa population avec une main de fer dans un gant de velours.

PISTE MINUSCULE

J'ai connu la pire peur de ma vie en avion au moment d'atterrir sur la minuscule piste de l'aéroport de Timphu. Le pilote s'est-il amusé à effrayer les passagers ?

Il a soudainement piqué du nez. Le charriot des hôtesses de l'air a parcouru toute l'allée pour aller cogner contre l'arrière de la cabine. Aucune piste ou trace de ville dans les montagnes enneigées environnantes. Quand enfin j'aperçois ce qui ressemble à un tarmac, celui-ci est de dimension si modeste – et entouré par une barrière gigantesque de montagnes – qu'il est aussi périlleux d'y atterrir que d'en décoller, car l'avion doit grimper vertigineusement – presque à la verticale – afin de ne pas s'écraser. Le grondement des moteurs poussés à l'extrême pour accomplir cet exploit est en soi un bruit inquiétant. Les ailes semblent parfois frôler les parois rocheuses.

Malgré son aéroport aussi mal situé, le Bhoutan n'a jamais connu d'accident d'avion ; peut-être parce que les pilotes, qui reçoivent un entraînement spécial pour cette destination, ne prennent pas leur tâche à la légère.

Pendant mon vol de Katmandou à Timphu, j'ai pu mesurer la hauteur de l'Everest. Nous survolions les nuages depuis une heure lorsque le pilote nous a dit de regarder à notre gauche : le mont Everest sortait de cette nappe d'ouate. Son sommet était aussi élevé par rapport à notre avion que nous l'étions du sol. Notre appareil était une mouche autour de lui.

Juste avant de faire estampiller nos passeports, on nous a fait visionner des vidéos de sensibilisation à la pureté écologique de ce pays, qui se veut le plus propre du monde.

5.1 Ici, le décrochage scolaire n'existe pas ! Non, ces bâtiments ne sont pas des temples, mais une école. L'architecture est très distincte. Ce n'est pas ici qu'on aurait bâti les horreurs de béton que sont nos polyvalentes québécoises.

5.2 Une petite prière en rang avant de retourner en classe, histoire de calmer les esprits après l'excitation de la récréation. L'analphabétisme n'est pas très répandu par ici.

5.3 Au Bhoutan, un yak est comparable à n'importe lequel de nos Angus ou bœufs de l'Ouest. Remarquez sur cette photo, personne n'est habillé à la mode occidentale. Ça fait changement des maudites casquettes de Yankee sur la tête des indigènes amazoniens!

SOUVENIRS DU NÉPAL

Pays des hauteurs étourdissantes, le Népal, cet ex-royaume devenu démocratique à la suite de fortes pressions populaires, en est un de petits villages tranquilles plantés dans des vallées ou juchés sur les pentes himalayennes, non loin de l'Annapurna et de l'Everest. Nous sommes sur le toit du globe terrestre. J'y suis allé à deux reprises, en 1996 et en 2011.

Même si son système politique a changé récemment, le mode de vie est demeuré tel quel, à l'abri des influences extérieures. Malgré la pauvreté, les temples débordent d'offrandes de fruits, de légumes et de fleurs dans un nuage d'encens.

Partout sur les temples bouddhistes, on retrouve des « yeux de Bouddha » qui pointent vers les quatre points cardinaux et qui rappellent aux fidèles de ne pas s'écarter du droit chemin.

5.4 Ce couple pour le moins éclatant m'a expliqué dans un anglais rudimentaire qu'il revenait de visiter l'au-delà. Ah bon? J'aurais dû leur demander quel climat il faisait là-bas. Nul doute, la rareté de l'oxygène et la hauteur des montagnes tournent la tête à plusieurs dans la capitale, Katmandou, un lieu sacré de pèlerinage tant pour les bouddhistes et les hindouistes que pour les musulmans.

5.5 Une scène religieuse insolite se déroule ici dans le temple de Kumari, un mot qui veut dire «vierge». Ces fillettes sont candidates pour le rôle de déesse vivante. L'heureuse élue se fera adorer et servir du moment de la perte de sa première dent de lait jusqu'à sa puberté. Ensuite, elle disposera d'une généreuse rente de l'État.

6 LA FRANCE D'OUTRE-MER

HUMIDE ET GRISE GUYANE FRANÇAISE

Quand on parle de l'Amérique française, on pense souvent au Québec ou aux îles de Saint-Pierre et Miquelon. On a tendance à oublier la Guyane française, ce coin de terre richissime au sud du Venezuela, le seul territoire officiellement français sur le continent américain. Sinon, la France ne possède que des îles.

La Guyane française est peu visitée ; il s'agit pourtant d'un territoire important pour des raisons militaires, scientifiques et historiques. Cet ancien bagne d'où il était quasiment impossible de s'enfuir n'a pas perdu sa réputation de lieu lugubre ou d'enfer vert. La Légion étrangère a adopté

6.1 C'est le général de Gaulle qui a fermé le bagne aux conditions de détention inhumaines. La jungle dévaste les vieux murs. Quand on vous parle de l'« enfer vert », vous en avez ici une illustration. Il y a bien longtemps que l'on a versé des pleurs sur ces pierres dévorées par la mousse tropicale.

ce territoire pour former ses redoutables recrues. J'ai vu ces soldats endurer des épreuves infernales : ils se plongent jusqu'au cou dans un marécage en tenant leur mitraillette et ils restent là sans bouger, stoïques, malgré les insectes et les serpents. Certains passent là volontairement toute la journée pour prouver leur bravoure ; les Marines américains sont des boyscouts en comparaison.

6.2 Les récifs cernés de requins de la sinistre île du Diable. Henri Charrière, alias Papillon, est le seul à avoir pu la fuir. Ici, il pleut. Toujours. Le soleil est toutefois si puissant que, malgré les nuages, il faut faire attention aux brûlures.

Pays le plus humide au monde, la Guyane française est majoritairement grise, mais on n'y a jamais froid. Cela dit, elle a des qualités. La population est aisée. Les écoles et les lycées y sont gigantesques et beaux. Il y a une élite scientifique chargée de diriger les lancements de fusées Ariane. On mange bien, évidemment, puisque c'est français. Une population vietnamienne demeurée fidèle à la France, pour fuir les communistes, a émigré ici dans un territoire qui ressemble à leur ancien pays. Les rudes travailleurs en ont fait un paradis fruitier. Les aborigènes bien instruits nous expliquent les vertus médicinales des plantes utilisées par leurs ancêtres. Bref, la Guyane est un pays perdu hautement civilisé.

Une anecdote renversante : je voyageais là-bas avec l'impression d'être au bout du monde. Juste comme je disais à ma compagne que, si je commettais un meurtre, c'est ici que je viendrais me cacher parce que personne ne penserait à m'y trouver, quatre gars sont entrés dans le restaurant, m'ont reconnu et ont crié « Hé ! Gilles ! » C'était des ingénieurs québécois qui travaillaient à la base de Kourou d'où on lance les fusées Ariane.

LA NOUVELLE-CALÉDONIE : LA FRANCE DU BOUT DU MONDE

Myriade d'îles, d'archipels et d'atolls perdus au milieu de l'Océanie, occupée par l'homme depuis quelque 40 000 ans, la Nouvelle-Calédonie est un domaine outre-mer français traversé depuis 1946 par des velléités indépendantistes et un sentiment national parfois carrément antifrançais. En descendant de l'avion, on arrive dans la capitale moderne et propre, Nouméa. On y trouve de nombreux militaires français pour protéger les multinationales du nickel qui prospèrent par ici. Ce paradis montagneux, allongé et entouré de récifs, compte quelque 200 000 habitants, dont 45 % d'autochtones kanaks.

6.3 Vues du ciel, les îles de la Nouvelle-Calédonie éparpillées sur la mer bleue me faisaient étrangement penser à des nénuphars. On comprend pourquoi les Polynésiens utilisaient souvent des bateaux pour aller d'île en île.

6.4 Lors de mon passage en Nouvelle-Calédonie, le gouverneur avait organisé une grande fête d'amitié et de réconciliation auprès des indépendantistes. Mais le mécontentement des Kanaks envers la France demeurait évident. À aucun moment de la cérémonie ces Kanaks ne m'ont gratifié d'un regard chaleureux. Ils n'avaient pas le cœur à la fête. Nul doute que le maquillage remplit une fonction esthétique qui permet aux Kanaks de mieux s'identifier en se distinguant des Européens. Pourtant, les Kanaks ont le lycée gratuit, des infrastructures modernes et tout pour être heureux dans leur coin de paradis. Mais on ne peut pas obliger un peuple à se sentir pour autant « français ».

7 LES ÎLES FALKLAND

LES ÎLES FALKLAND : DES ÎLES TRÈS BRITANNIQUES

Ce morceau du Royaume-Uni égaré au large de l'Argentine – laquelle revendique toujours ces îles que l'on appelle aussi les Malouines – a donné lieu à la guerre des Falklands de 1982 entre Londres et Buenos Aires.

À aucun autre endroit du globe Margaret Thatcher n'est aussi adulée que sur ces terres qui regorgent de troupeaux de moutons. Mais c'est surtout en raison du pétrole que l'Angleterre tient autant à ces îles perdues et qu'elle y entretient deux mille cinq cents militaires pour les protéger. C'est beaucoup de soldats pour seulement trois mille habitants !

Énormément de bateaux de croisière viennent ici, mais peu de touristes font de longs séjours. Quelque soixante-dix mille voyageurs foulent son sol pour quelques heures, mais ils assurent quand même aux îles leur deuxième source de revenus en importance.

7.1 Les policiers ont si peu de travail avec la loi et l'ordre dans cette ville paisible qu'ils servent davantage à guider les touristes qu'à brimer les délinquants.

7.2 La minuscule capitale de Stanley fait penser à Natashquan. Devant la cathédrale Christ Church se trouve ce monument constitué des mâchoires de deux baleines bleues érigé en 1933 pour célébrer le centenaire de l'administration britannique.

8.1 Cette femme et cet enfant de la tribu des Massaïs, ces guerriers nomades originaires de l'Éthiopie, ont un statut particulier, un peu comme nos Amérindiens. Eux seuls ont le droit de chasser sans permis pour assurer leur subsistance.

8 L'OUGANDA, LA TANZANIE ET LE KENYA

L'OUGANDA, SANCTUAIRE DES GORILLES

Qui va en vacances en Ouganda ? Pas grand monde. La seule attraction fascinante ici, ce sont ces gorilles au dos argenté qui vivent dans une jungle à la végétation parfois presque inextricable. L'expression « république de bananes » prend tout son sens dans ce pays archipauvre qui, bien sûr, alloue une fortune à son budget militaire. Heureusement, l'armée a quand même le souci de protéger le patrimoine faunique contre les braconniers qui viennent souvent du Rwanda. Il n'est pas rare de trouver dans les marchés publics des mains ou des pieds de gorille transformés en cendrier. Qu'est-ce que l'humain ne ferait pas pour une piastre ?

Pour se rendre à la très nourricière forêt de Bwindi, il faut parcourir à partir de la capitale Kampala une route en piètre état, cahoteuse et escarpée, qui longe des précipices, pendant plus de six cents kilomètres : deux jours de route pénible. Pendant la nuit sous la tente, des orages invraisemblables font briller le ciel avec des séquences d'éclairs qui durent dix, vingt ou trente secondes. Je n'ai jamais rien vu de tel ; et le matin, des envolées d'oiseaux multicolores, spectaculaires, survenaient et me donnaient l'impression d'halluciner.

Une fois rendu chez les primates, il faut marcher. Aucune garantie de voir des gorilles toutefois. Certains touristes marchent pendant sept ou huit heures sans en trouver, sous une humidité de 100 %, dans une forêt pleine de ronces, sans même un semblant de sentier pour faciliter la progression. Pour ma part, j'ai été chanceux : une heure et demie de recherche, et nous découvrions une famille de gorilles dans une clairière. Interdiction d'utiliser un flash. Nous pouvons les observer pendant une heure maximum, dans un silence total. Il s'agit de ne pas irriter ces bêtes capables de se montrer agressives.

Après une heure, le couple de primates a signifié son désir de nous voir déguerpir en nous lançant – tenez-vous bien – leurs excréments du matin. Alors, nous sommes partis.

8.2 Ce grand primate semble inquiet des lendemains qui le guettent. À lire dans les yeux des gorilles, on saisit bien la ressemblance avec l'homme. Ces créatures semblent toujours songeuses.

EXPÉDITION DANS LES PLAINES DU KENYA

Je suis allé faire un safari au Kenya. Vous vous imaginez bien que je portais un appareil-photo et non une carabine. La faune est tellement nombreuse par ici que, la nuit, on entend un concert d'animaux. On se croirait en train d'écouter une trame sonore. On finit par trouver le sommeil quand même, mais on rêve que l'on est en Afrique. Le jour, c'est le chant des criquets qui est assourdissant. Dans la plaine, il suffit de s'immobiliser et de tendre l'oreille pour entendre l'agitation animalière continue.

En seulement six jours de safari au Kenya, on peut être assuré de voir toutes sortes d'animaux : fauves, reptiles, hippopotames, oiseaux, antilopes. Si dans la jungle, on n'est pas toujours certain de trouver des gorilles, dans la plaine, en revanche, les animaux sont partout ! On m'a même déjà réveillé en pleine nuit pour me faire voir une attaque de lionne sur un impala. La chose est si fréquente que les guides sont capables de la « prévoir » en observant le manège du fauve qui subrepticement se rapproche de sa proie en rampant ; quand l'attaque survient, tout va à la vitesse de l'éclair. Le spectacle d'une mise à mort par un lion est brutal. Je n'en ai jamais vu. Il y avait des carcasses de bêtes mangées un peu partout, mais, neuf fois sur dix, un peu comme un séducteur dans un bar, le prédateur rate son coup… la proie est extrêmement rapide et lui file entre les pattes. Je n'ai donc assisté qu'à des poursuites infructueuses du point de vue du fauve, mais heureuses du point de vue de l'impala.

J'ai vécu quatre safaris-photos dans autant de parcs nationaux en Afrique. J'y retournerais volontiers pour me ressourcer, pour refaire le plein d'émotions et d'ébahissement et pour répondre aux caprices de ma lentille. Les chauffeurs connaissent si bien le terrain et les espèces qu'ils savent quand et où nous emmener pour nous les montrer; pendant que les animaux de la plaine sommeillent sous le soleil de midi, on se rend près des lacs où les éléphants ou les hippopotames prennent leur bain. Bien sûr, on se rend compte parfois que l'on dérange les espèces, et c'est dommage ; mais en même temps, le tourisme photographique finance la lutte contre le braconnage.

8.3 Le matin, je voyais les éléphants partir pour aller faire leurs affaires – manger, boire, prendre leur bain, etc. – puis revenir vers 17 h comme s'ils rentraient à la maison, un peu comme le fait n'importe quel banlieusard « automatisé » par le 9 h à 17 h.

TANZANIE : SAFARI AU PAYS DES BUVEURS DE SANG

8.4 L'hippopotame est le plus dangereux des animaux pour l'homme. Il tue un nombre effarasnt d'humains chaque année. Comme quoi les apparences sont trompeuses.

En 2002, j'ai visité ce pays presque impossible à distinguer, par sa nature, du Kenya voisin : même climat, mêmes animaux, mêmes tribus nomades qui circulent librement, notamment les Massaïs. Décidément, les Britanniques ont eu le don de créer des frontières artificielles en laissant leurs anciennes colonies.

Parmi les merveilles du pays : le mont Kilimandjaro, ce paradis des excursionnistes. Le mets national, ici, c'est le gnou. Cette antilope si bizarrement constituée est la proie par excellence des prédateurs de la brousse. Selon une légende, le gnou est un animal composite avec une tête de vache montée sur un corps de cheval juché sur des pattes d'antilope. Leur force, c'est le nombre. D'immenses troupeaux de gnous broutent pendant qu'un mâle, plus loin, sur une butte, sert de vigie.

Non loin de là, dans le creux du Ngorongoro, un cratère volcanique, se concentrent toutes les familles animales de l'Afrique, exception faite des girafes, incapables de descendre avec leurs longues pattes jusqu'à ce territoire cerné de pentes accidentées. Il y a ici rhinocéros, hippopotames, lions, guépards et léopards. Côté humain, il y a la tribu des Massaïs. Ceux-ci vivent dans des huttes de terre séchée entourées de palissades de bambous pour tenir les animaux sauvages dehors. Loin de l'Occident et de la modernité, les Massaïs prennent un soin maniaque de leur apparence en se parant de beaux agencements de couleurs et de bijoux spectaculaires fabriqués à la main.

BRACONNAGE INCONTRÔLABLE

Une simple ligne de pierres blanchies à la chaux démarque la Tanzanie du Kenya. Cette frontière passoire nous fait comprendre la difficulté de contrôler le braconnage qui menace la survie de certaines espèces, notamment en raison de la demande des pays asiatiques – surtout les

Chinois – pour l'ivoire. Croyez-le ou non, malgré l'existence du Viagra, la demande pour les différents aphrodisiaques produits à partir de poudre de corne n'a apparemment pas diminué !

Lors de mon deuxième voyage en Tanzanie, j'ai fait un safari-photo avec, cette fois, le profil du mont Kilimandjaro, si souvent chanté, notamment par Ernest Hemingway, dans le décor. Mais contrairement au grand romancier américain, je ne suis pas venu pour tuer des animaux, mais pour rapporter, en guise de trophées, des photos.

Par rapport au Kenya, je dois admettre que la Tanzanie, avec ses collines, ses vallons, est plus idyllique. La végétation est plus colorée, plus variée. Le territoire est plus habité. Les tribus humaines sont nombreuses. Les Massaïs pratiquent une alimentation carnivore étonnamment « durable » avec leurs bêtes. Ils se nourrissent surtout de laitage et de sang. En effet, ils percent méticuleusement la jugulaire de leur bœuf pour en tirer du sang avant de refermer la plaie à main nue avec des herbages. La bête recommence à brouter et elle se régénère. Plus tard, elle sera saignée à nouveau. Ainsi, elle nourrit par son sang, mais sans mourir, toute la tribu. Ça peut sembler peu ragoûtant, mais le mets national est du sang mélangé au lait. La viande du bétail n'est consommée qu'aux grandes occasions.

Un peu comme les Amérindiens chez nous, les Massaïs ont des droits de chasse. Certains braconniers en profitent donc pour se déguiser comme cette tribu afin de tromper les autorités.

8.5 Cette famille de gros félins nous attendrit, mais estimons-nous chanceux de ne pas la rencontrer, seul et sans arme, dans la plaine.

9 LA NAMIBIE

LE PLUS ANCIEN DÉSERT DU MONDE

C'est l'un des pays d'Afrique les moins bien connus : la Namibie. Si je dis le nom de la capitale, Windhoek, les Québécois me regardent les yeux vitreux en se demandant si j'invente quelque chose pour me moquer d'eux. Mais non : c'est juste que ce pays, une ancienne colonie allemande, de 1884 à 1920, passe sous le radar de l'actualité mondiale – du moins celle qui nous parvient.

À deux jours de bateau de là, il y a une île célèbre, celle de Sainte-Hélène, où mourut Napoléon Bonaparte en exil. Voilà pourquoi j'ai transité par ce pays totalement méconnu.

Depuis quelques années, les agences commencent à offrir des voyages en Namibie, pour les touristes plus aventureux, notamment pour aller voir la tribu des Himbas qui, à la manière des hindous, vénèrent les vaches, et où les femmes ne portent pas de vêtements, mais enduisent leur corps de graisse et de poudre pour se protéger des mouches et du soleil.

9.1 Ce promeneur solitaire passait dans une petite oasis. Je lui ai fait signe pour une photo. Il a eu la gentillesse d'arrêter.

En Namibie se trouve le plus ancien désert du monde. Du moins, c'est ici que la désertification de l'Afrique a commencé. Les dunes sont gigantesques et dangereuses; une tempête de sable soudaine peut rapidement vous ensevelir.

Pour moi, le souvenir le plus frappant que je garde est celui des nombreuses épaves qui jonchaient le littoral de Namibie, surnommée la « Côte des squelettes », et que notre capitaine devait laborieusement contourner pour nous mener à bon port.

Parlant de port, les policiers qui y travaillaient, munis de matraques, ressemblent davantage à des voyous qu'à des serviteurs de la loi!

Il y a tellement peu de touristes que les Namibiens sont heureux et excités de voir des étrangers. Ils aiment se faire prendre en photos. Cet accueil sympathique me donne envie de peut-être un jour y retourner pour un plus long séjour. Une chose ne changera toutefois pas de sitôt: la Namibie demeurera encore longtemps un pays méconnu.

9.2 Après une matinée à l'école, sur l'heure du dîner, ces enfants semblent joyeux, énergiques.

9.3 Ces policiers du port ne portent pas le fameux pantalon de clown des nôtres lorsqu'ils font des moyens de pression à Montréal, mais ils n'ont pas l'air plus professionnel pour autant.

10 LES GALÁPAGOS

GALÁPAGOS, L'ARCHIPEL PRÉHISTORIQUE

Non, les dinosaures ne sont pas morts. Enfin, certains des plus petits spécimens ont survécu. Et ils continuent de régner dans les quatorze îles des Galápagos.

Il y a ici des espèces de reptiles qui n'existent nulle part ailleurs. Les chrétiens évangéliques qui pensent que Dieu a créé le monde en sept jours il y a six mille ans n'aiment pas cet archipel qui a inspiré à Darwin sa fameuse théorie de l'évolution, que rejettent les créationnistes.

Paradis des biologistes, les îles Galápagos, malheureusement, attirent un trop grand nombre de touristes, dont plusieurs ne sont pas sensibilisés à la fragilité des merveilles que l'on retrouve ici. Du haut des airs, on est saisi par cette incroyable verdure composée de mousses et de fougères qui encerclent une multitude de lacs limpides. Ce territoire troué de centaines de cratères regorge d'eau douce et la végétation y est luxuriante, parfois excessivement. En un mot, c'est l'Éden pour les animaux, qui ont amplement de quoi se nourrir. Cela explique l'étonnante diversité des espèces.

10.1 Quand on voit ces reptiles, on est heureux qu'ils soient plus petits que nous. Étrange à quel point ces iguanes, comme la plupart des lézards, nous répugnent moins que les hypocrites serpents.

10.2 Ces tortues inspirent le respect aux humains en raison de leur longévité : certaines peuvent vivre plusieurs centaines d'années!

À moins de deux heures de vol des côtes de l'Équateur, les îles Galápagos valent le détour ; elles ne sont pas aussi difficiles à atteindre que la fameuse île de Pâques, dont les merveilles ne sont pas animales, mais minérales.

Aux Galápagos, j'ai trouvé les guides les plus instruits que j'ai rencontrés de ma vie : ce sont des scientifiques, qui ont à cœur de transmettre leurs connaissances. Ils ont conscience de se trouver dans un lieu « saint » de la biologie ! Il y a également une population locale, d'environ vingt-cinq mille habitants, qui vivent surtout à Puerto Baquerio Moreno, la capitale.

10.3 Les loups de mer sont excessivement « relax » par ici. La chasse est bien sûr interdite partout dans l'archipel.

10.4 Ce crabe translucide semble en permanence exhiber sa radiographie aux visiteurs !

11.1 Ces touristes utilisent un téléphérique rudimentaire pour observer le paysage. Je n'ai pas osé me jucher là-dedans.

11 L'ÉQUATEUR

MISAHUALLI, LE PARADIS DES PARFUMS

On parvient à cette merveilleuse et odoriférante forêt amazonienne à la suite d'un périple parfois peu rassurant en véhicule à partir du nord de l'Équateur. Une route acrobatique qui atteint parfois une altitude de quatre mille mètres (soit environ la moitié de l'Everest) et qui oblige mon chauffeur à changer de système de freinage trois fois par année.

À Misahualli, une excursion en canoë sur la rivière Napo, un affluent de l'Amazone, nous permet de humer les odeurs provenant des orchidées, des tulipes et des roses dont l'exportation ne cesse de croître. C'est là que l'on comprend pourquoi le grand écrivain Gustave Flaubert parlait d'une « route des parfums ». Vous n'en croirez pas votre nez !

Plus loin sur la rivière Arajuno, une communauté de Quechuas dirige un zoo vaste et situé en pleine jungle dont les animaux ne se savent pas captifs. Les voilà au moins protégés des basses œuvres des braconniers et soignés par des vétérinaires quand la maladie ou des blessures menacent de les tuer.

L'AmaZOOnico est un enclos de vingt kilomètres carrés dans la jungle. À la faveur d'une excursion, au milieu de nuées de moustiques plus voraces que les nôtres, on y rencontre des singes – qui ne nous craignent pas du tout –, des toucans et, si le hasard le veut, des jaguars.

Près d'un bled nommé San Francisco, un volcan crache des cendres dans le ciel et fait un champignon qui surplombe les nuages. Ses cendres recouvrent, comme la neige, les habitations des résidants des environs. L'homme, cet animal entêté, refuse de quitter les flancs de ce volcan dangereux – pourtant une vraie bombe à retardement – parce que le sol est plus fertile ici qu'ailleurs.

11.2 Une grande population de toucans occupe la forêt de Misahualli.

11.3 Au marché d'Otavalo, les femmes portent l'uniforme traditionnel. Le samedi, c'est un lieu incontournable. À voir absolument.

La forêt de Misahualli est un bel endroit pour découvrir la jungle amazonienne. Il existe d'autres pays que l'Équateur pour visiter cet écosystème, mais ici, c'est sécuritaire, abordable, rassurant et sympathique. La population indigène n'est pas indigente et misérable comme à plusieurs autres endroits. Bref, c'est une destination que je vous recommande.

11.4 Aux abords de Misahualli, cette mère et sa petite fille retournent chez elles en pirogue sur la rivière Napo, une scène typique en Amazonie.

QUITO, LE NOMBRIL DU MONDE

Installée dans une vallée élancée et dominée par le volcan Pichincha, Quito, la capitale de l'Équateur, vous fera vivre les quatre saisons en vingt-quatre heures ! Attention aux rhumes... On ne sait jamais comment s'habiller.

Cette ville peuplée surtout de descendants des Quechuas est étourdissante pour les pilotes qui doivent y déposer leur Boeing ou Airbus. Descendre un soir d'orage au milieu des éclairs vous donne l'étrange impression d'être coincé dans un étau où la cordillère des Andes frotte quasiment contre les ailes de votre avion. Eh oui, c'est ici le nombril du monde : l'exacte latitude zéro, ni au nord, ni au sud. À la Mitan del Mondo, on retrouve un monument dédié au savant français Louis Godin qui calcula le premier l'emplacement de ce « centre du monde ». Il y a ici une ligne où l'on peut avoir un pied dans l'hémisphère nord et un autre dans l'hémisphère sud.

Quito est une ville où les conditions de vie se sont nettement améliorées depuis une vingtaine d'années. Côté sécurité, la situation est franchement meilleure que dans la Bolivie voisine. Les policiers sont relativement bien payés pour éviter qu'ils soient facilement corruptibles. Le salaire minimum est ici de trois cents dollars par mois, ce qui est beaucoup pour la région. La nourriture est plus saine qu'ailleurs. L'essence est à cinquante sous du litre. L'analphabétisme est en train d'être vaincu. Les merveilles architecturales de l'époque coloniale se conjuguent aux édifices modernes. Voilà un bel endroit à visiter. Ça fait plaisir de voir un petit pays d'Amérique du Sud se tirer de la misère et aller de mieux en mieux.

11.5 Pour voir toute l'évolution du pays en vingt-cinq ans, regardez cette photo que j'ai prise en 1993, quand la pauvreté et la criminalité étaient encore omniprésentes.

11.6 Quito repose dans la cordillère des Andes comme dans une cuve protectrice.

03 | LA CULTURE

L'ÎLE DE PÂQUES | LE CAMBODGE | LE MAROC ET L'ALGÉRIE | L'ARMÉNIE | LE MALI | LA LOUISIANE | LA MONGOLIE | LA PAPOUASIE, LE PANAMA ET LE PÉROU | LE VATICAN | NOËL | L'ÉTHIOPIE | VIEILLESSE PHOTOGÉNIQUE | DUBAÏ

1 L'ÎLE DE PÂQUES

LE MUTISME DES MOAÏ

Il n'y a pas un coin de terre qui a vu son sol se faire gratter par autant de géologues, archéologues, anthropologues, botanistes ou historiens sans qu'il révèle la totalité de ses secrets.

Quelque sept mille ouvrages ont été écrits sur cette île sans qu'on réussisse à trouver une explication définitive sur l'origine de sa population de pierre.

De nos jours, avec les bateaux de croisière et les avions, ce sont cent mille visiteurs par année qui viennent admirer les fameux moaï et s'étonner devant ces géants de pierre dont on ignore aussi bien l'âge que la signification.

Il n'y a que six mille habitants sur l'île et autant de chevaux qui errent dans les rues des villages en broutant les pelouses trop longues. Comme quoi le gazon est toujours plus vert chez le voisin ! Imaginez-vous qu'à l'île de Pâques, le gazon se fait « tondre » par l'insatiable appétit des chevaux !

J'ai passé quatre jours à visiter la minuscule île dans tous ses recoins. Sur les flancs du Raho Raraku se trouve la carrière d'où furent extraites ces statues au long nez épaté avec leur verticalité silencieuse et leur regard égaré qui refusent de nous dire qui elles sont.

Le site Ahu Tongariki, la plateforme cérémonielle la plus longue de l'île, compte pas moins de quinze moaï, restaurés grâce à la générosité de Tokyo, qui a financé le projet à hauteur de deux millions de dollars. Résultat : au moins le tiers des touristes sont nippons.

LE CULTE DE L'OUBLI

Est-ce un deuxième Noé que ce roi Hotu Motu'a qui est venu sur l'île de Pâques vers l'an 900 avec un navire chargé de couples de bêtes pour repeupler cette terre vierge ?

Vierge... à l'exception des moaï, bien sûr, à demi submergés par le temps, qui les regardaient fixement... C'est à peu près à la même époque que les Vikings visitaient Terre-Neuve et remontaient le Saint-Laurent, sans s'établir ni laisser de traces, sinon dans leurs « sagas ».

Avec le peuple inconnu qui a dressé les moaï de l'île de Pâques, c'est le contraire : il ne reste que les monuments qui refusent de nous parler.

1.1 Des silhouettes impressionnantes. Le peuple de pierre le plus mystérieux du monde!
1.2 On n'est pas près de percer le secret de ces géants de pierre, qui, même dans la nuit, nous surprennent par leur présence.

Quand le roi Hotu Motu'a est arrivé, il n'y avait plus personne. Pour lui, c'était vraiment un territoire idéal à coloniser sans avoir à conquérir d'autochtones. Mais son peuple vécut ce grand malheur six siècles plus tard, aux mains des esclavagistes péruviens qui vidèrent carrément l'île des descendants du roi. Une substitution ethnique eut lieu. Les Rapanuis, que nous avons le réflexe un peu naïf de prendre pour des autochtones aujourd'hui, sont arrivés vers la fin du XIXe uniquement comme employés de ferme pour les seigneurs péruviens.

Quelle étrange île que celle qui se peuple, se dépeuple et se repeuple, sauf de ses gigantesques visages de pierre qui excitent d'autant plus l'imagination qu'on n'en sait rien!

C'est une belle leçon d'humilité de se trouver dans ce lieu qui en a vu bien d'autres passer et disparaître. Car oui, nous ne faisons que passer, mais les œuvres restent plus longtemps. Si notre actuelle civilisation disparaissait dans un cataclysme, il est fort à parier que les humains qui redécouvriraient ce monde post-apocalyptique seraient fascinés, comme nous le sommes, par ces visages que nous n'impressionnons guère.

Puisque ce lieu figure dans toute bonne liste de choses à voir avant de mourir, j'ai pu cocher la petite case. Mais qu'est-ce que je sais de plus à la suite de ce périple? J'ai seulement davantage conscience que nous ne savons pas grand-chose.

1.3 Ces moaï semblent minuscules sur la plage au loin, mais quiconque s'en approche se rend bien compte de leur gigantisme.

LE PARADIS DES RAPANUIS : SURF ET TATOUAGES

La mode du tatouage est répandue chez nous depuis quelques décennies. Beaucoup ne savent pas que ces premiers artifices épidermiques viennent des Rapanuis, l'ethnie polynésienne qui peuple l'île de Pâques, sise au milieu du Pacifique à cinq heures d'avion des côtes chiliennes.

Ici tout le monde ou presque est tatoué. Ce peuple a contribué à populariser auprès des marins ces techniques de gravure permanente sur la peau. Non contents d'être à la mode avec leurs tatouages, ils aiment à les arborer lorsqu'ils s'adonnent à leur sport national: le surf. La mer extrêmement puissante aux abords de l'île en remontre aux meilleures plages d'Hawaï ou de la Nouvelle-Calédonie. Combien de jeunes Québécois fantasmeraient de vivre dans une communauté où le surf est un sport auquel on s'initie dès l'enfance et où les tatouages font la fierté des parents ?

Les Rapanuis sont des gens sympathiques, généralement gentils avec les touristes. J'ai tout d'abord été intimidé par leurs tatouages, avant de me rendre compte que ces épidermes bariolés sont ici tout à fait normaux. Les jeunes hommes d'ici, souvent en pleine forme, savent qu'ils impressionnent les voyageurs, autant par leurs prouesses sur la planche pour défier les vagues que par leur apparence.

Importés comme ouvriers agricoles quasi-esclaves, les Rapanuis ont jadis été confinés dans une réserve entourée de barbelés. Désormais, ce sont des citoyens chiliens de plein droit. Leur histoire fut éprouvante, mais leur situation actuelle est enviable à bien des égards. Malgré les mauvais traitements dont ils ont été victimes au cours des siècles de la part des Français, des Anglais et des Espagnols, les Rapanuis ne manifestent aucune hargne envers les étrangers. C'est tout à leur honneur !

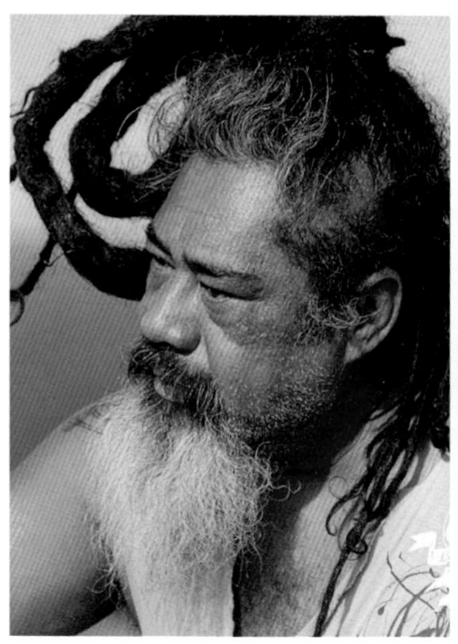

1.4 Les Rapanuis ne sont pas des autochtones de l'île. Ce peuple est arrivé au XIXe siècle pour travailler la terre. Les indigènes, qui n'étaient là que depuis le Xe siècle, ont été décimés ou vendus en esclavage par les Péruviens.

1.5 Ces Rapanuis n'éprouvent aucune hostilité envers les Blancs, qui les ont pourtant maltraités par le passé, et ça leur réussit bien. Ce petit peuple en santé et heureux inspire l'envie.

1.6 Des amateurs de surf du monde entier viennent à l'île de Pâques pour les compétitions. Et c'est l'occasion pour ces jeunes sportifs d'aller voir les fameuses statues.

2 LE CAMBODGE

ANGKOR, LA SOLENNELLE

En 1964, à Paris, j'ai vu le prince cambodgien Norodom Sihanouk et le président français Georges Pompidou défiler sur les Champs-Élysées. Je me suis alors promis de visiter son royaume, mais il m'aura fallu presque quarante ans avant de tenir parole.

En 2002, j'ai enfin foulé le sol cicatrisé par le sanguinaire régime de Pol Pot, le dictateur communiste qui a exterminé le tiers de la population de son pays en seulement quatre ans au pouvoir.

Je me suis retrouvé dans l'ancienne capitale de l'empire khmer, Angkor, perdue dans la jungle verdoyante, parsemée de temples et de statues. Le silence s'imposait de lui-même tellement ces lieux sont solennels. Dans un climat d'une extrême humidité, des moines drapés de jaune encensaient les vieilles pierres grises et allumaient des cierges blancs.

Angkor offre des temples pour toute la panoplie des religions est-asiatiques. Jadis, ce sanctuaire immense avait presque la taille d'un pays et près d'un demi-million de gens y vivaient. Mais cet empire basé sur le troc a fini par faire faillite et la population s'est dispersée.

2.1 Ces bouddhas souriants ont-ils vu les saccages des disciples de Pol Pot ? Non. Angkor a été envahie par des Vietnamiens, qui ont bivouaqué là.

2.2 Munie d'une faux, cette femme au visage marqué par la misère coupe l'herbe pour trente sous par jour. « Cela me suffit pour acheter des fruits et des légumes », a-t-elle dit à mon guide. Pourquoi pas une tondeuse ? Pour ne pas éliminer des emplois. Et pour éviter la pollution sonore.

2.3 Ce moine solitaire sera bientôt rejoint par des centaines de ses coreligionnaires dont les murmures, quand ils prient, résonnent jusqu'à nos oreilles.

2.4 Avec l'effet destructeur des racines puissantes, rien ne résiste au temps.

3 LE MAROC ET L'ALGÉRIE

RICHE ALGÉRIE

Voici un autre merveilleux pays où la carte de visite n'est pas facile à obtenir et où des chicanes internes parfois sanglantes effraient l'étranger. À ce propos, *L'étranger* est le titre d'un célèbre roman d'Albert Camus, natif d'Oran, dont l'action se déroule en Algérie. Quant au chanteur Enrico Macias, il a beaucoup chanté ce pays avec des compositions empreintes de nostalgie.

Riche d'une histoire qui commence avec les Phéniciens et qui va jusqu'au régime français, en passant par son désert du Hoggar, une merveille naturelle classée par l'UNESCO, et ses touaregs nomades, dits « les hommes bleus », l'Algérie est culturellement très riche.

3.1 Le marché de Ghardaïa regorge de gens, que des hommes bien sûr.
3.2 Cette mère et son fils nous aperçoivent de leur fenêtre et sont heureux de nous saluer.

MAROC BLEU MAGHRÉBIN

Couleur enchanteresse qui fait fuir les démons et les mauvais esprits, le bleu est la couleur humaine par excellence du désert du Maghreb. Ses habitants, surnommés par ailleurs les hommes bleus, vivent en faisant fi des frontières qui divisent le Maroc, l'Algérie et la Tunisie.

Ville magique à voir, Chefchaouen, au Maroc, mais tout près de l'Algérie, apparaît comme une tache bleue au loin nichée à flanc de montagne. Si le Maroc est un pays multicolore, cette ville, exclusivement bleue, se détache du lot. En me promenant dans ses rues tortueuses, j'ai eu l'impression de faire un rêve... bleu. Ici, vos yeux font une surdose de bleu.

3.3 Ce magnifique édifice à l'architecture typique de la région du Mzab se trouve dans la ville-oasis de Ghardaïa, située au centre du pays. Ses habitants vivent hors du temps depuis près de huit siècles, protégés par l'inaccessibilité des lieux.

L'histoire de ce lieu est extraordinaire : les musulmans et les juifs qui fuyaient l'Inquisition espagnole se sont établis ici et, pour conjurer les esprits et le mauvais sort, dans cette contrée hostile, ont tous peint leurs façades en bleu. Les catholiques ont longtemps été bannis de ces lieux ; en quelque sorte, les habitants remettaient la monnaie de leur pièce aux persécuteurs qu'ils avaient fuis.

Quand le voyageur québécois découvre le désert à dos de dromadaire, son guide, bien souvent, est un homme bleu, la plupart du temps très jeune ; en fait, pour nous qui sommes dans un pays de têtes grises, la proportion de jeunes au Maghreb est saisissante.

Si je recommande toujours le Maroc à ceux qui me demandent par où commencer pour découvrir l'Afrique du Nord, c'est parce que sa géographie est comme un film où se succèdent des scènes incroyables, plein de surprises. Les touristes n'y ont généralement rien à craindre. Qui plus est, ce qui ne gâche rien, beaucoup de Marocains parlent le français, ce qui aide à nouer des liens.

3.4 Quand on voit cet homme solitaire, on comprend pourquoi tellement de mystiques ont adopté le désert comme lieu d'ascèse ; je pense à Jean le Baptiste et à Jésus, à Mahomet aussi, ou encore à Charles Foucault et à l'écrivain Antoine de Saint-Exupéry, l'auteur du *Petit Prince*.

3.5 Au cours d'une pause, je m'entretiens avec les guides de notre caravane.
3.6 Chefchaouen, mini-cité cachée au sommet des montagnes, est si bleue que, même dans l'ombre, cette couleur resplendit. Et quel beau sourire édenté que celui de cet habitant heureux de nous saluer!

NÉGOCIER DANS UN SOUK

Au Maroc, pays musulman le plus accueillant du monde — le plus visité par le fait même —, l'un des grands bonheurs du voyageur est de se perdre dans les souks.

Ces grands marchés généraux sont d'immenses Wal-Mart à ciel ouvert, composés de centaines de petits artisans infatigables. Entrer dans un souk, c'est pénétrer dans le ventre d'une ville, au milieu de multiples bruits et de supplications de marchands qui promettent tous d'offrir le meilleur produit. Chaque fruiterie vend les meilleurs fruits; chaque boucherie, la meilleure viande.

Les Méditerranéens ont la culture du commerce. Ce sont des vendeurs redoutables, certains de pères en fils depuis des générations!

La première fois, je me suis fait avoir. Il ne faut pas accepter le premier prix qui est offert. Même quand le vendeur a baissé son prix de moitié et qu'il se tortille en pleurant par terre, le montant que vous déboursez est probablement ridiculement élevé. À titre d'expérience, après plusieurs visites où je me suis fait constamment avoir, j'ai eu envie d'accomplir l'impossible: flouer un marchand marocain! Je me suis présenté avec une fausse Rolex avec l'idée de l'échanger ; le marchand a feint de croire que c'était une vraie, et m'a dit de prendre tout ce que je voulais dans sa boutique, et je suis ressorti avec une urne et un coussin. J'ai découvert par la suite que ceux-ci ne valaient guère plus que ma fausse Rolex... Mais bien sûr, le boutiquier allait refourguer la montre au prochain naïf pour plusieurs fois ce prix. Bref, je me suis fait avoir alors même que j'étais là dans l'espoir de l'emporter. Marchand marocain 1 ; Gilles Proulx 0. Je risque de ne jamais parvenir à avoir le dessus sur un de ces vendeurs virtuoses.

Je vous ai dit plus tôt que ces marchands qui baissent leur prix se tordent par terre en pleurant. Ce n'est pas une figure de style ! Ils font vraiment ça. Et si vous essayez de vous en aller, ils viendront vous rattraper dans la rue en vous inondant de compliments quant à votre talent de négociateur. Ils sont extrêmement insistants. Invariablement, c'est eux qui ont le dessus. Même si vous vous vantez auprès des vôtres en rentrant à l'hôtel, le marchand rit de vous dans sa barbe.

3.7 Ce photogénique monsieur au couteau offre d'appétissants morceaux de viande. Mais cette image a été prise en novembre. Pendant l'été, le mercure grimpe, et il y a souvent des mouches autour des pièces. Et même avec le boucher, les prix sont négociables.

4 L'ARMÉNIE

ARMÉNIE SACRÉE

Avant de mettre les pieds en Arménie, je savais que c'était le pays de Charles Aznavour, qu'il est situé dans le Caucase, qu'il a survécu aux avanies du temps, goûté à des tremblements de terre et à un génocide de la part des Turcs, qui ont exterminé près d'un million de chrétiens en 1915.

Le christianisme, ici, remonte à l'an 301, avant même la conversion de l'empereur Constantin. La capitale, Erevan, enlaidie par sa récente soviétisation, est plus ancienne que Rome.

Les Arméniens ont leur propre alphabet, ce qui, pour le touriste que j'étais, rendait toute lecture impossible. Il n'y a pas de tourisme de masse dans ce pays pourvu de plusieurs centaines de monastères datant du XIIIe siècle, dont certains demeurent intacts.

Les gens sont sympathiques et ont beaucoup de caractère. Les amateurs de photographies de visages et de paysages seront comblés. Le seul défaut : la gastronomie, qui est peu raffinée. On a l'impression de manger la même chose tous les jours.

4.1 À l'approche des monastères, on entend souvent des cantiques, ce qui démontre la ferveur religieuse des Arméniens.

4.2 Le monastère de Khor Virap, qui est le plus identifié à l'Arménie, fait face au mont Ararat, où s'échoua l'arche de Noé selon la tradition.

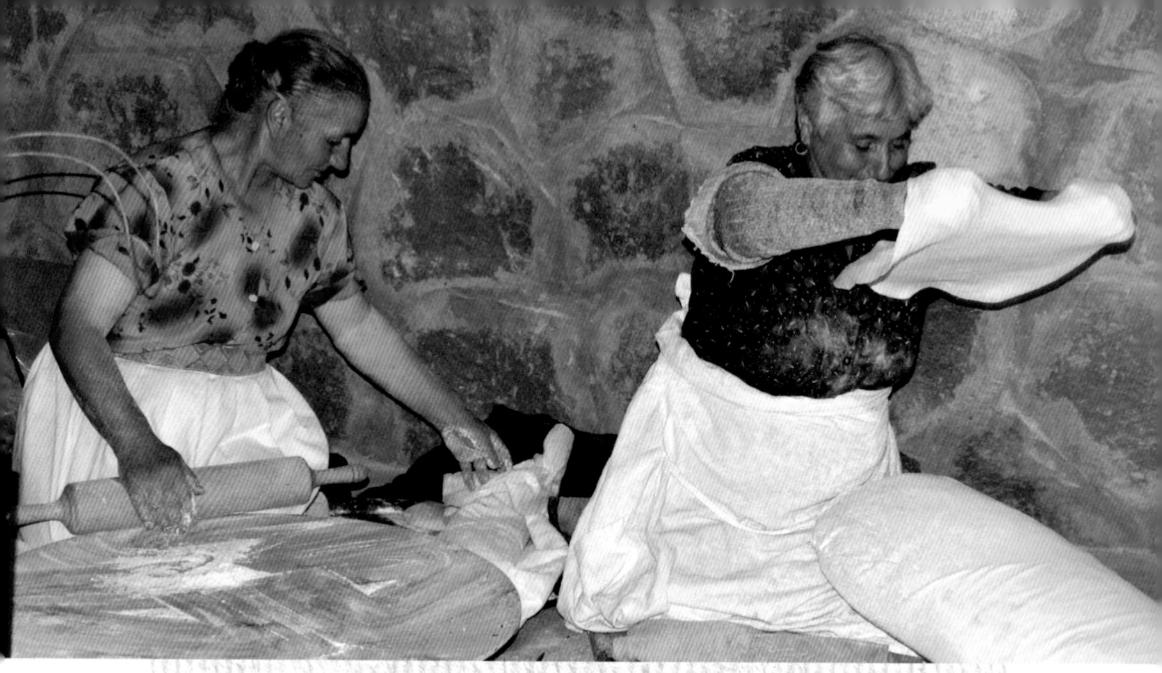

4.3 Le pain, aliment biblique, est très répandu. On rencontre fréquemment des boulangères.

UN EXEMPLE DE TÉNACITÉ

Ayant grandi à Verdun, je garde de vieux souvenirs d'une boutique bien connue à l'époque qui s'appelait Tarzi, diminutif d'un nom arménien, Tarzibachian. Je demeure ami avec un des plus jeunes du clan, Richard, qui vend toujours des chemises et des costumes.

Les Tarzibachian m'ont tellement parlé du pays de leurs ancêtres que j'ai eu envie d'y aller. Je devais lui rapporter des photos du village d'où son père a été chassé par les Turcs, mais ce territoire étant toujours occupé par lesdits Turcs, cela n'a pas été possible.

Jamais je ne suis tombé sur des guides plus érudits et passionnés que dans ce pays qui ne craint pas de se souvenir de son passé, même si celui-ci est souvent douloureux.

Ce qu'on appelle Arménie aujourd'hui, c'est ce qu'il reste d'un vaste empire commercial dirigé, dans un lointain passé, par les Arméniens. Par la force des armes, on les a confinés dans la zone la plus accidentée.

Paradoxalement, les Arméniens sont moins rancuniers que les Turcs, même si ce sont pourtant ces derniers qui les ont massacrés. Non seulement les Ottomans ont-ils commis un génocide contre les Arméniens, mais leurs descendants ont le culot de s'indigner quand on le leur rappelle!

Il y a de magnifiques musées, souvent à connotation religieuse. Attendez-vous à découvrir non seulement une culture, mais aussi une civilisation à part entière : les Arméniens ont leurs propres « Molière », « Dante » et « Shakespeare ».

Dans les hameaux et dans certains quartiers d'Erevan, il n'était pas rare de voir quelqu'un sortir une guitare ou un accordéon dans un lieu public pour faire danser les gens. Donc, la transmission de la culture demeure, contrairement à chez nous où la radio a pratiquement éradiqué les « violoneux » et les « chansonniers ».

4.4 Les véhicules d'apparence soviétique rappellent les liens qui unissaient l'Arménie à la puissante URSS pour se protéger de la voisine turque.

4.5 Ce pope arménien parle au cellulaire pendant que nous visitons son église.

5 LE MALI

SOUVENIRS DU MALI

Ah ! Ce que je me compte chanceux d'avoir visité en temps de paix ces pays aujourd'hui ravagés par la guerre ! C'est le cas du Mali, dont les malheurs actuels m'attristent.

Les islamistes et les Français font désormais pétarader leurs machines de guerre. Même si les touristes n'ont jamais afflué en grand nombre dans ce magnifique pays, ils pourraient être étonnés de ses charmes cachés. Prions pour que la guerre ne dévaste pas ses joyaux.

5.1 La merveille du Mali est sans l'ombre d'un doute la mosquée de Djenné, non loin de la ville de Mopti. De style soudanais, ce temple est enduit d'argile. Les architectes lui ont donné des formes aussi diamétralement différentes de nos églises que des mosquées typiques du monde arabe.

Le Mali est surnommé le pays de l'or blanc, en raison de la qualité de son coton. La population est étonnamment accueillante : quand vous prenez la pose pour une photo, des enfants maliens sortent de nulle part et veulent faire partie du portrait. De là-bas, je garde un souvenir inoubliable. Un adolescent à la tête sympathique, un jour, m'a offert de porter mon sac, ce que je lui ai naïvement accordé... À un certain moment, dans le dédale des ruelles et venelles, je le perds de vue. Pendant une bonne quinzaine de minutes, je crois que j'ai été volé et je le cherche. Il a en sa possession mon matériel photographique, qui vaut des milliers de dollars, ainsi que mon portefeuille plein de billets verts et mon passeport. Mais le jeune homme m'attendait sur la grande place, pour me redonner mes affaires. J'avais donc eu raison de lui faire confiance. Son pourboire fut généreux.

5.2 Ma guide, une belle jeune femme s'exprimant dans un excellent français, a tout fait pour me permettre d'entrer dans la mosquée de Djenné, mais celle-ci est fermée aux « mécréants », c'est-à-dire aux non-musulmans. Pas d'accommodements raisonnables par ici !

5.3 Parlant de belles femmes, ce qui étonne au Mali, c'est l'habileté qu'elles ont, malgré la pauvreté, à se vêtir de manière splendide, avec des couleurs vives. Le port du costume traditionnel est toujours de mise, tant chez les peuples Dogons, Peuls que Bozos. La polluante casquette de baseball n'est pas à la mode.

6 LA LOUISIANE ET LES TRACES DES FRANCO-AMÉRICAINS

LA LOUISIANE, LES BAYOUS ET LES CAJUNS

Cet État américain nommé en l'honneur du roi Soleil, Louis XIV, n'est pas étranger au Québec. Jadis, cette colonie s'étendait jusqu'au tiers de l'actuel territoire américain. C'est Napoléon, trop occupé en Europe et incapable de défendre ces terres américaines, qui a vendu ce territoire au très francophile Thomas Jefferson.

6.1 Ce magnifique manoir bâti à la sueur du front des esclaves au début du XIXe siècle est devenu le repaire patrimonial principal de la région. Cette allée comprend 28 chênes de Virginie vieux de plus de 300 ans sur deux rangées espacées de 35 mètres et conduisant à la rivière.
6.2 Ce bateau à aube typique du Mississippi du XIXe siècle sillonne toujours le grand fleuve.

6.3 Cette cabane de cajun rappelle à quel point la vie dans les bayous n'était pas facile.

Notre ancêtre Cavelier de LaSalle a laissé sa peau ici, dans un marécage, assassiné par un de ses soldats découragé après des semaines de vaines recherches de l'embouchure du Mississippi. Pierre Le Moyne d'Iberville sera chargé de peupler ce territoire français avant d'aller ensuite mourir (probablement de la fièvre jaune) à La Havane, à Cuba.

Le pays des Cajuns, dont certains conservent la culture française de peine et de misère, est pauvre, mais accueillant. Si la ville de La Nouvelle-Orléans ne parle plus du tout français, son patrimoine ressemble au nôtre, avec son couvent des Ursulines et ses noms de rues, comme la fameuse rue des Bourbons (Bourbon Street) qui est encore le lieu de résidence de Preservation Hall, un temple du jazz mondialement connu. Pour goûter un restant de saveur française, il faut aller à Martinville ou à Lafayette, ou encore Bâton Rouge. Mais les endroits le plus exotiques et épeurants à visiter, ce sont les bayous aux eaux stagnantes et vertes, grouillantes de caïmans et de serpents. Certains de nos cousins cajuns vivent encore ici, dans une grande pauvreté, dans des maisons sur pilotis. Ce territoire fut propice à l'entraînement des Marines en raison des conditions tropicales extrêmes comparables à celles du Vietnam.

LES DERNIERS CAJUNS

Louisiane a donné le mot « louisianisation » pour décrire la perdition du français défait par l'anglais qui nous guette au Québec.

Le Québec, indifférent à son identité, va bientôt entrer dans cette mondialisation qui enterre les cultures vaincues pour n'en laisser qu'un folklore superficiel. Combien de fois m'avez-vous entendu dire cette prophétie de malheur ? Pour stimuler le français dans les années 1970, le Québec signait avec La Nouvelle-Orléans une entente d'entraide pour envoyer des livres et des enseignants. J'ai postulé pour y travailler comme animateur à la radio... j'attends toujours qu'on m'appelle !

6.4 Ce violoneux cajun a peut-être besoin d'une marchette pour avancer, mais il ne ménage pas son instrument quand vient le moment de jouer le rigodon. Si les chaises sont vides ce soir-là, m'explique-t-on, c'est parce que les Saints de La Nouvelle-Orléans, l'équipe de football, sont en train de jouer et que 99 % de la population les regardent à la télévision.

Oh ! Dans les rues de la bruyante Nouvelle-Orléans, je vois, par exemple, les souvenirs laissés là par Pierre Le Moyne d'Iberville, par de Bienville, par de Lamothe Cadillac, par les Ursulines et par le grand découvreur Cavelier de LaSalle, tous des francophones qui sont allés s'établir dans cette lointaine contrée. Mais la seule majorité française qui reste ici, c'est celle des morts dans le vieux cimetière !

LE FRANÇAIS MORIBOND

6.5 Il n'y a pas de jeunes par ici… funeste augure.

Dans le quartier des affaires, sur les affiches et les devantures, on retrouve des noms comme Landry, Beaudry, Savoie et compagnie avec des « 's ».

À Saint-Martinville, où se trouve le gros noyau de ces anciens francophones, des jeunes Beaulieu, Leduc, Laliberté ou Archambault me demandent, en anglais, de les appeler Kevin, Jimmy ou Joyce.

Chez Pont Braux's The Cajun, on insiste pour que nous mangions la cuisine composée d'écrevisses, le plat national chez les nôtres. L'établissement est tellement populaire qu'on est fier d'exhiber les noms des vedettes qui s'y sont arrêtées : Robert Duval, Arman Assante, Johnny Cash, Angelina Jolie, Yves Duteil, etc.

NOSTALGIE EN HÉRITAGE

Un certain Jim Cormier interprète quelques chansons « lyrantes » en français devant de vieux couples qui transportent encore une culture agonisante. Le mal-être est palpable dans ces complaintes, ces lamentations musicales avec des bouts baragouinés en français.

Je leur parle de Zachary Richard. « Connais pas », me dit-on. Voilà ce qui nous attend. Sauf que nous, contrairement aux Cajuns, nous avons les outils pour ne pas tomber en panne, mais nous ne nous en servons pas. Le Québec préfère l'aide politique à mourir lentement.

À Lafayette, ville située au cœur du pays des Cajuns, c'est dans le quartier de Saint-Martinville que l'on retrouve le plus grand nombre de noms français, même si notre langue n'est plus vraiment parlée par ici, sinon par quelques très vieilles personnes.

Sur la rue principale, on se donne des airs « parisiens » avec des cafés-terrasses situés juste devant l'église à côté de laquelle on trouve un magnifique monument à la mémoire d'Évangéline.

Oui, il s'agit bien de cette jeune fille qui, après avoir été déportée de l'Acadie en Louisiane, a fini par retrouver son beau Gabriel, lui aussi déporté, mais à bord d'un autre navire.

Voilà bien un hommage à un invincible amour entre deux êtres que les aléas de l'Histoire essaient d'arracher l'un à l'autre. Connaissez-vous l'expression « l'amour est plus fort que la police » ?

Cette histoire imaginée par le poète américain Henry W. Longfellow en 1847 est devenue tellement populaire que ses personnages sont désormais des symboles internationaux. Le romantisme cajun et acadien rayonne alors à travers le monde et, sur place, on s'assure d'avoir des « vestiges » de cette histoire à montrer.

6.6 Tout est broche à foin, même les cimetières, comme celui-ci.

6.7 Le soi-disant chêne d'Évangéline attire le touriste.

J'avais à mes côtés, en voyage, des Québécois d'origine acadienne qui étaient fort émus devant la statue d'Évangéline et son chêne. Que dire de ce chêne ? L'écriteau nous explique que c'est ici qu'Évangéline a « rencontré » Gabriel... ou n'est-ce pas plutôt « retrouvé » ? Ce n'est pas clair. Une des versions de l'histoire dit qu'Évangéline apprend sous cet arbre que Gabriel s'est remarié et qu'alors, par fidélité pour son amour impossible, elle meurt. Déjà que le chêne d'Évangéline a été désigné par hasard au XIXe siècle, celui qui attirait les touristes encore en 1902 a été vandalisé. On a donc dû choisir un autre vieux chêne à Saint-Martinville pour en faire l'arbre d'Évangéline... comme quoi ce pèlerinage est un peu une arnaque ! Ma douzaine de comparses acadiens s'est fait avoir !

6.8 a et b L'héroïne et le poète qui l'a imaginée ont droit à leur statue ou buste.

BÂTON ROUGE ET LAFAYETTE LE BIEN-AIMÉ

Vous êtes-vous déjà interrogé quant à l'origine du nom de la ville américaine de Bâton Rouge ? J'ai lu dans un livre de Pierre Salinger, et ma guide me l'a répété, que ce nom est né d'une confrontation entre les troupes françaises et anglaises, au cours de laquelle Bienville a planté un bâton rouge pour aviser l'adversaire que s'il dépassait ce point, ce serait aussitôt la guerre. Les Anglais ayant reculé, cet événement a fait naître la ville de Bâton Rouge, l'actuelle capitale de la Louisiane.

Ce qui m'a fasciné pendant mon trajet vers Bâton Rouge, ce sont ces panonceaux et ces noms évocateurs en français, tels les villages de Grosse tête, Vacherie et Vermillionville.

Bâton Rouge et Lafayette, l'ancienne ville voisine qui y a été fusionnée, sont situées au cœur du pays des Cajuns.

On y trouve des monuments grandioses pour faire le bonheur des amoureux de l'histoire, mais aussi des parcs industriels hallucinants par leur immensité, et un grand port donnant sur le golfe du Mexique. Ça grouille de vie et de *business*, comme diraient les Français.

L'édifice du Capitole rend hommage au général Lafayette, qui a formé les miliciens américains pour en faire des hommes de guerre. Lafayette a été tellement apprécié de ses hommes et de George Washington, qui le considérait comme son fils, qu'il est encore adulé aujourd'hui.

6.9 Ce magnifique hall du Capitole d'État de la Louisiane rend hommage à Lafayette.

Cet amour que portent les Américains pour Lafayette est tel que le nom du général français est présent dans quelque quarante États pour nommer des rues, des écoles, des bâtiments publics, des institutions, etc.

Le Capitole de la Louisiane arbore les drapeaux de tous les pouvoirs qui l'ont déjà gouvernée souverainement : il y a le drapeau de Castille-et-León, celui des Bourbon, de la Grande-Bretagne, de l'Espagne, de la France républicaine, l'ancien drapeau – à quinze étoiles – des États-Unis, le drapeau de la République de la Floride de l'Ouest, de la République de Louisiane, celui des États confédérés d'Amérique, celui de l'État actuel de la Louisiane et le drapeau américain moderne. Voilà une terre enviée !

VICTOIRE SUR L'ESCLAVAGE

Si on visite la Louisiane, les guides insistent pour nous faire visiter la plantation de Oak Alley ou Allées-des-Chênes, là où ont été tournées des scènes du film *Entretien avec un vampire*, dans lequel Tom Cruise tenait le rôle de Lestat.

Pourquoi cela ? Les agents touristiques, la plupart Noirs, tiennent à ce que l'on sache ce qui a été infligé à leurs ancêtres dans les plantations.

Autant le manoir somptueux en impose par son faste, autant les petites cabanes des esclaves noirs nous donnent une idée de ce qu'était l'injustice dirigée par les capitalistes pressés, qui se voyaient en grands seigneurs et exploitaient sans vergogne la « machine humaine » à coups de fouet pour la faire fonctionner jusqu'à dix-huit heures par jour. Ailleurs, c'était le coton.

6.10 Les salles du manoir peuvent être louées et servent aux mariages et aux fêtes.
6.11 Les visiteurs peuvent maintenant dormir dans ces anciennes cabanes d'esclaves afin de réfléchir aux crimes dont l'humain est capable pour dominer et exploiter son prochain.

Mais la plantation de l'Allée-des-Chênes servait à la culture de la canne à sucre, toujours cultivée dans les parages.

La magnifique maison de style Renaissance grecque, construite principalement par les esclaves, a été offerte par un riche planteur créole, Jacques Telesphore Roman, frère du gouverneur de la Louisiane André Bienvenu Roman, à sa femme Célina. Incroyable de penser que cette vie « aristocratique » aux dépens des esclaves se déroulait en plein siècle du progrès, pendant la révolution industrielle.

Les travaux pour bâtir cette maison ont duré de 1837 à 1839 pendant que, beaucoup plus au nord, dans le Haut et le Bas-Canada, la révolte grondait contre la Couronne, par le fait des patriotes.

Maintenant que l'esclavage est une chose du passé aux États-Unis et que près d'un demi-siècle s'est écoulé depuis la fin de la ségrégation, le manoir de l'Allée-des-Chênes n'est plus boudé par les Afro-Américains. Au contraire, de nombreux couples de Noirs choisissent d'organiser leurs banquets de mariage ici en signe de victoire contre l'injustice de jadis.

LA BABYLONE FRANCOPHONE

Au cœur du quartier français de La Nouvelle-Orléans, la rue Bourbon détonne. C'est un lieu de fête perpétuelle unique en son genre aux États-Unis.

Le puritanisme américain ne s'y applique pas. Les gens boivent dans la rue. Il y a des femmes à moitié habillées. Ce niveau de décadence ne serait jamais toléré à Montréal. Et tout ce cirque se déroule sous le nez de policiers à cheval qui laissent faire les folies tant et aussi longtemps que la violence n'éclate pas.

Ici, les gens ne parlent pas, ils crient. Il y a des néons par milliers, c'en est presque aveuglant ! De jeunes musiciens s'installent partout et jouent, avec un talent fou, dans une cacophonie réjouissante.

Il faut goûter à l'ambiance de vieux clubs de jazz, dont le Preservation Hall et Maison Bourbon. Preuve que les artistes ne sont pas des paresseux, les musiciens que je vois ici se produisent plusieurs fois par jour dans différents groupes et établissements. À force d'empocher de maigres cachets, sans doute parviennent-ils à payer leur loyer.

La cuisine créole/cajun règne en maîtresse presque absolue sur la rue Bourbon. N'essayez pas de trouver un restaurant italien ou de grillades. Tout est frit et épicé. Ce n'est pas ici que l'on peut se mettre au régime. Pas étonnant que la majorité des gens de la place fassent de l'embonpoint et que plus du tiers de la population soit obèse.

Au Mardi gras, la rue Bourbon se transforme en lieu de débauche alcoolisée où les voleurs à la tire s'en donnent à cœur joie… un peu comme à Rio !

6.12 Cette jeune femme quasiment nue demande de l'argent pour poser avec les touristes. Voilà un procédé qui ne serait pas toléré à Montréal. Mais sur la rue Bourbon, c'est… normal !

6.13 La Maison Bourbon est l'un des clubs les plus célèbres de la rue du même nom. Ces musiciens au talent époustouflant passent le chapeau pour gagner de l'argent.

7.1 Pour la fête nationale mongole, le Naadam, les 11 et 12 juillet, tout le monde se costume!

7 LA MONGOLIE

MONGOLIE SPORTIVE

Il n'y a pas que la Mongolie des conquérants à la Gengis Khan, dont les descendants ont fait trembler la Chine et l'Europe. Il y a aussi celle, plus conviviale, des mordus de sports traditionnels. Venez donc ici pour le 11 juillet, jour de fête nationale, dans la capitale Oulan Bator, une ville laide à l'allure stalinienne. Tous les Mongols y portent alors leurs tenues typiques. Partout, il y a des concours de lutte, très spectaculaires, et de tir à l'arc. Partout aussi, il y a des chevaux. L'équitation est une chose si normale par ici que les enfants s'y initient très jeunes. Mais les parvenus qui veulent montrer leur ascension sociale aiment à chevaucher des motocyclettes.

La lutte, ici, se pratique autrement que dans notre tradition gréco-romaine. Le premier à être lancé par terre perd la partie. Cette activité n'est pas réservée à des super athlètes ; monsieur Tout-le-monde peut y participer, ça fait partie des réjouissances populaires. Vous voulez essayer ? Allez-y. Luttez avec les Mongols. Ils le permettent aux étrangers. Mais vous risquez de vous retrouver sur le dos très vite.

Ces combats donnent bien sûr lieu à des paris où se gagnent et se perdent des « tugriks », la devise locale ; les paris sportifs sont aussi vieux que le sport lui-même. Quant aux enfants à cheval (sans casque protecteur), c'est aussi banal ici que de voir des petits en train de jouer au hockey bottine dans la ruelle chez nous.

Les vastes contrées de la Mongolie renferment encore des troupeaux de chevaux sauvages. Malheureusement, des meutes de loups les chassent et les déciment.

Parlant de chevaux et de loups, ce peuple de seulement 2,75 millions de personnes occupe un territoire grand comme l'Europe, et la Chine surpeuplée convoite ces terres. Les loups chinois guettent le cheval mongol ; heureusement que l'ours russe veille sur ce petit pays.

Ici, j'ai passé onze jours sous une yourte et, bien sûr, le moyen de transport par excellence, même pour le touriste, c'est le cheval.

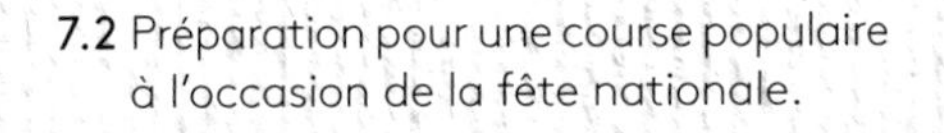

7.2 Préparation pour une course populaire à l'occasion de la fête nationale.

7.3 Ces enfants mongols se prêtaient avec plaisir aux séances de photos.

7.4 Le tir à l'arc demeure l'un des sports préférés des Mongols.
7.5 Les Mongols plus nantis aiment à se montrer en moto, un véhicule qui peut par ailleurs se « chevaucher ».
7.6 Deux couples de lutteurs s'affrontent en plein air devant des arbitres.

AU PAYS DU YAK

Aux abords du désert de Gobi, une famille m'accueille pour la nuit dans sa yourte. Il fait un froid perçant. Au milieu de la tente, il y a une boîte d'excréments séchés de yak : voilà ce qui sert de combustible. Je n'en ai pas la preuve, mais avec ces gens, dans la yourte, j'ai la certitude de me trouver avec les ancêtres des Inuits. Les similitudes sont extraordinaires !

Le lendemain, le chef de famille nous explique que sur notre chemin, nous allons croiser des « Ovoo », comme au Tibet, soit des tas de pierres autour desquels on doit tourner trois fois dans le sens des aiguilles d'une montre, tout en y laissant soi-même un caillou, afin de nous porter chance.

Quant à la maîtresse de la yourte, elle nous remet pour la route une gourde de lait de yak, une boisson dont le goût très amer ne m'a pas incité à en demander une deuxième fois.

Dans le désert de Gobi, nous rencontrons une famille d'éleveurs de chameaux de Bactriane, à deux bosses et plus bas sur pattes que le dromadaire. Nous montons une de ces bêtes du désert pour former une caravane et explorer l'immensité des dunes, hautes de cent cinquante à deux cents pieds. On ne soupçonne pas la hauteur de ces dunes qui sont autant de petites montagnes. J'ai essayé d'en monter une à pied, et l'épuisement m'a vite atteint ; avec les pieds dans le sable jusqu'aux chevilles, qui glissent à chaque pas, ça me faisait penser à une balade dans un banc de neige.

Plus tard, à Karakorum, l'ancienne capitale de Genghis Khan, qui n'a plus rien de militaire, je me rends compte que des monastères bouddhistes ont pris le relais des armées.

7.7 Ces chameaux sont essentiels aux Mongols pour leur laine, leur viande et leurs excréments, puisque ces derniers servent de combustible pour chauffer les yourtes – il y a trop peu d'arbres pour fournir du bois.

8 LA PAPOUASIE, LE PANAMA ET LE PÉROU

DES CANNIBALES MAL REPENTIS

En Papouasie, en 1998, dans un avion de brousse dont le pilote fume, malgré la présence d'un baril de pétrole dans le milieu de l'allée, je n'arrive pas à me détendre. Direction : Waména, un village où la civilisation moderne tarde à s'enraciner dans les mœurs d'une des dernières tribus anthropophages.

Notre guide se croit obligé de nous raconter que son père, dans les années 1950, pratiquait le cannibalisme. Lui-même se vante d'avoir déjà mangé de la cuisse de missionnaire — j'ai alors eu une pensée pour Jean de Brébeuf et les saints martyrs canadiens.

En Jeep, nous nous rendons dans un fortin nommé Sinatan en empruntant un pont de lianes. Avant cela, un poste militaire exige un permis limité à vingt-quatre heures puisque des aventuriers allemands, au cours des derniers mois, ont visité les Danis, mais ne sont jamais revenus...

8.1 Trois générations : une mère, sa fille et sa petite-fille. La fécondité, mais aussi la mortalité, est vigoureuse.

8.2 Notre comité d'accueil dans le fortin de Sinatan. Au centre, le chef ordonne aux femmes de venir nous chercher en nous portant sur leurs épaules. De quoi fâcher les féministes.

Les Danis en sont encore à l'heure des guerres intertribales. Ils ont la réputation d'être toujours des mangeurs d'hommes. Ils parlent des avions qu'ils voient dans le ciel comme étant des « oiseaux de fer ».

À l'heure du dîner, les femmes, à la demande du chef, me transportent sur leurs épaules, puis font du feu en frottant des pierres pour braiser un cochon sauvage. Des feuilles de palmiers servent de nappes de table. Des chiens affamés rôdent près du feu. Des nuages de mouches nous entourent. Comment oublier un tel voyage? Épuisant, pas forcément agréable, mais totalement dépaysant.

8.3 Les guerriers continuent de se battre et de se tuer avec des armes traditionnelles, et le vaincu sert souvent de festin au vainqueur.

LES CHOCOES, UNE CULTURE FRAGILE

Pourquoi ne peut-on pas séjourner plus de quelques heures à la fois chez la tribu des Chocoes qui vit, fidèle à ses traditions, dans la jungle panaméenne? Pour la préserver des influences de l'ère moderne.

Sans doute trouvez-vous très bizarre de voir une mère de famille aux seins nus poser avec ses enfants à côté du touriste que je suis. Eh bien, sur une autre photo, plus tard, celle-ci s'est couvert la poitrine. Même le regard

8.4 En plein « centre-ville » du village de Waména se côtoient les Papous modernes qui s'habillent et ceux qui demeurent nus, mais pourvus d'un traditionnel katéka, un étrange cache-sexe qui sert aussi parfois à ranger du tabac.

8.5 J'ai posé avec cette famille de Chocoes dès mon arrivée. Quelques minutes plus tard, cette mère a ressenti le besoin de se voiler la poitrine. Comme quoi les autres cultures peuvent avoir beaucoup d'influence.

8.6 Les hommes étant partis à la chasse, lorsque je suis arrivé, seuls les femmes et les enfants demeuraient dans le patelin.

des étrangers influence la manière dont les Chocoes se perçoivent. Les visiteurs sont donc admis au compte-gouttes : une seule fois par semaine, au maximum trois personnes à la fois.

Les anthropologues tiennent les Chocoes pour l'une des plus anciennes tribus du monde. Pour l'essentiel, c'est la jungle, la chasse et la cueillette qui les nourrit ; pas d'agriculture, pas de technologies. Ces gens-là sont si polis qu'ils font mentir l'adage « agir comme un sauvage » puisque même leurs enfants se comportent très bien ; pas de petits enfants-rois ici !

Le régime frugal mais complet de ces gens les garde dans une forme splendide. Il n'y a pas d'obèses ou de centres Énergie Cardio. Ce spectacle ferait plaisir au philosophe Jean-Jacques Rousseau.

Cependant, tout près des Chocoes, il y a une autre tribu, celle des Kunas, qui vit dans l'archipel de San Blas, et qui a été suffisamment acculturée par les missionnaires pour éprouver maintenant le besoin de s'habiller. Non seulement leur a-t-on apporté le crucifix, mais on leur a également imposé le soutien-gorge.

Je me rends en pirogue chez les Kunas. Je passe deux nuits dans une hutte à dormir dans un hamac sous des pluies torrentielles et des orages furieux. Que de beaux souvenirs !

8.7 Voilà des enfants en pleine forme et, à en juger par ce que j'ai vu, très heureux, enjoués et polis avec les visiteurs.

8.8 Saviez-vous que le lama peut être aussi affectueux que le chien avec son maître où sa maîtresse ? Un mythe (propagé par Tintin) veut que cet animal crache au visage des gens ; c'est faux.

LE PRÉCIEUX ROYAUME DU PÉROU

Vous connaissez l'expression « Ce n'est pas le Pérou » ? Pour les découvreurs du Nouveau Monde, c'était une façon de dire que notre Canada, avec ses peaux de castor, faisait pâle figure en comparaison des richesses en or, en argent et en pierres précieuses du Pérou.

Le joyau archéologique du Pérou, c'est bien sûr le Machu Picchu, œuvre maîtresse de l'architecture inca, qui a été oubliée pendant des siècles, avant que l'Américain Hiram Bingham la redécouvre en la survolant en avion. Ces lieux servaient à la haute aristocratie inca.

À partir de Cuzco, un vieux train à bout de souffle nous fait parcourir le sommet de la cordillère des Andes jusqu'à Puno, qui baigne sur le bord du lac Titicaca, le plan d'eau le plus élevé du monde.

En allant vers le nord, je découvre l'Amazone, le fleuve mythique. Après quatre jours de navigation, je constate avec déception que les indigènes ont été gravement contaminés par le tourisme sur le plan culturel : ils portent tous des casquettes de baseball. Au cours d'une longue excursion dans l'enfer vert de la jungle, mes compagnons de voyage et moi arrivons chez les Amérindiens Boras, qui nous font une danse d'accueil et qui, ensuite, nous impressionnent avec des serpents, un boa constrictor et un anaconda.

8.9 Christianisée, cette femme Kuna s'habille ; déjà influencés par les étrangers, les Kunas ont un mode de vie plus proche du nôtre, et le visiteur peut y passer quelques nuitées sans risquer de « polluer » l'identité de ses hôtes… puisque c'est déjà fait.

8.10 Les Boras en pleine danse dans une maison longue qui rappelle celles des Iroquois par chez nous.

9 LE VATICAN

LE VATICAN QUI FAIT RÊVER

Le rêve de milliers de Québécois: aller au Vatican, voir le pape, le salut de leur vie. Ma grand-mère me contait que sa sœur, une religieuse, avait été bénie, elle et toute sa famille (donc moi aussi!) par Pie XII.

La seule autre destination plus prestigieuse encore, c'est bien sûr la Terre sainte, Jérusalem en tête, où l'on est toujours en guerre. Tous les mercredis, le pape prend un bain de foule avec sa «papemobile» et bénit les gens.

Le Vatican fut le théâtre de la première mondialisation. Pour preuve, le dernier pape, Benoît, parlait couramment huit langues et savait saluer dans une vingtaine de langues la multitude qui encerclait l'obélisque, où, selon les archéologues, le premier de tous les papes, l'apôtre Pierre, fut crucifié la tête en bas.

Quant au pape François, il est presque aussi multilingue que son prédécesseur, mais avec une présence plus affectueuse auprès des grandes masses.

Quand on entre dans cette grande cour de la place Saint-Pierre, on ne peut que réfléchir à ces nombreuses chancelleries et ambassades qui, avec leurs activités d'espionnage, ont joué un rôle prépondérant pendant la Seconde Guerre mondiale.

Visiter le Vatican prend plusieurs journées, malgré sa petitesse. Il s'agit d'un gigantesque musée avec des œuvres extraordinaires, dont celles de Michel-Ange et de Léonard de Vinci.

Avec la facilitation du nonce apostolique du Canada, j'ai eu l'occasion de

9.1 La silhouette blanche est immédiatement reconnaissable. Il s'agit, entouré de gardes, du pape Benoît XVI.

9.2 Ma femme Bianca a pu s'approcher assez près du Saint-Père pour prendre cette photo avec mon appareil.

rencontrer en 2006 le pape Benoît XVI. Dire que ce n'est pas impressionnant serait une fausseté. Cet homme qui parlait avec insistance de la paix et de la fraternité, mais pas toujours écouté, suscitait mon admiration par sa ténacité face à un monde qui grandit dans la violence.

9.3 Sait-on combien de millions de pèlerins ont foulé le sol de la gigantesque place Saint-Pierre pour demander que leurs vœux soient exaucés ou pour sauver leur âme ?

9.4 On a rarement l'occasion de voir la grande place aussi vide en plein jour.

9.5 La Pietà de Michel-Ange est une des statues les plus célèbres du monde. Elle représente Marie pleurant, son fils mort dans ses bras, après la crucifixion. Michel-Ange est également l'architecte qui a conçu le dôme de la basilique, de même que la grande fresque de la chapelle Sixtine.

10 NOËL

UN NOËL CHEZ LES MAYAS

La nuit de Noël, dans l'église Saint-Thomas, à Chichicastelnango, au Guatemala, l'orgue joue avec fracas. Les murs tremblent. Le prêtre dit la messe en latin, conformément aux rites catholiques presque deux fois millénaires. Soudain, une foule de Mayas en habits traditionnels se joint aux fidèles de l'église Saint-Thomas. Des cierges à la main, les Mayas viennent prier Jésus-Christ après avoir célébré, au préalable, leur culte ancestral du grand jaguar.

La seule messe à laquelle beaucoup de Québécois restent attachés, c'est celle de Noël. Mais, avouons-le, nous avons perdu notre sens des traditions et notre faculté d'éprouver leur magie. La messe en compagnie des Mayas à Chichicastelnango, malgré son exotisme, ressemble davantage au Noël que célébraient nos aïeux, avec son rite latin et son atmosphère de recueillement solennel, que nos messes banalisées d'après Vatican II, d'où tout mysticisme a été éradiqué.

Les Mayas accordent énormément d'importance au fait de préparer l'âme pour son périple vers l'au-delà. Contrairement aux gens d'ici, ils prient avec ferveur. Ils n'assistent pas à la messe de Noël seulement pour entendre *Minuit, chrétiens!* et pour exhiber le dernier manteau qu'ils ont acheté dans une boutique de Saint-Sauveur.

Non seulement un Québécois qui passe Noël à Chichicastelnango découvre des traditions étrangères, mais il apprend à mieux connaître son propre passé en redécouvrant, forte, intacte, une partie de son propre héritage.

10.1 Un mur arbore des crucifix fabriqués par des artisans de toutes les tribus des environs.

L'ALLIANCE INSOLITE DU TOTEM ET DE LA CROIX

Si vous voulez célébrer Noël à l'étranger, je vous conseille fortement de vous rendre à Chichicastelnango. C'est proprement fascinant, une messe où l'imposant attirail cérémonial catholique romain traditionnel accueille, à l'occasion de la Nativité, des Mayas demeurés attachés aux croyances de leurs ancêtres. C'est l'alliance insolite du totem et de la croix! Sur leur lit de mort, par ailleurs, les Mayas de cette région réclament souvent l'assistance conjointe d'un prêtre catholique et d'un chaman.

Pour la messe de Noël, à l'église Saint-Thomas, les catholiques ne pratiquant pas le paganisme s'assoient au milieu de la nef. Les bancs latéraux restent vides jusqu'à l'arrivée des Mayas qui combinent le culte du jaguar à celui de Jésus-Christ. Ils se joignent à la cérémonie après son commencement, vêtus de leurs habits traditionnels très colorés et de toute beauté.

Puisque, par tradition, les femmes doivent se couvrir la tête à l'église, les Indiennes déplient les « tzutes » — qui leur servent, le jour, à transporter des objets sur leur tête — afin de s'en faire des voiles.

UNE CULTURE DU SILENCE

L'un des traits culturels les plus étonnants des Mayas de Chichicastelnango, un peuple appelé Quiché, est leur propension à parler bas. Même dans leurs marchés publics bondés de monde, ils font peu de bruit. Il s'agit sans doute d'une forme de politesse, chez eux, que de ne pas faire de boucan.

Ils cultivent du maïs et des haricots et ils élèvent des porcs et de la volaille. Soit dit en passant, savez-vous de quoi les Quichés se régalent pour Noël, en famille? De dinde!

Le Guatemala est probablement le pays des Amériques où les coutumes mayas sont les plus florissantes et où elles se combinent le plus harmonieusement au christianisme. Le ratio d'autochtones dans la population est élevé. Hélas! le pays connaît des problèmes de banditisme et, pendant longtemps, il a croupi sous une dictature.

10.2 Le parvis bric-à-brac et embrouillé d'encens de l'église Saint-Thomas à la brunante en attendant que les cloches nous convient à la messe de Noël.

NOËL À BETHLÉEM, MAUVAISE IDÉE

Pour Noël, certains rêvent de se rendre là où naquit Jésus, à Bethléem. L'idée d'aller célébrer la Nativité là même où s'est produit le tout premier Noël semble bonne au départ. Mais une grande déception attend quiconque met ce plan de voyage à exécution. Les siècles et les guerres ont métamorphosé Bethléem.

Oubliez le Bethléem sacré de la Bible, cerné de pâturages et de bergers veillant sur leurs troupeaux. La ville natale du Christ n'est plus aujourd'hui qu'une banlieue, une ville moderne de quelque trente mille habitants. Sa distance d'avec Jérusalem équivaut à peu près à celle qui sépare, disons, pour parler québécois, le centre-ville de Montréal de celui de LaSalle.

Qui plus est, Bethléem est située sur un territoire que se disputent âprement Israéliens et Palestiniens, de sorte que des soldats munis de mitraillettes doivent encadrer les touristes pour assurer leur sécurité.

Enfin, ni les musulmans ni les juifs ne célèbrent Noël comme nous ; les festivités de Bethléem entourant la Nativité obéissent donc surtout à des impératifs mercantiles.

10.3 Un graffiti de Noël, gracieuseté des Palestiniens, ornait le mur qui protège le territoire d'Israël. Noël ou pas, on n'échappe pas au conflit politique qui empoisonne la vie des gens d'ici.

DES FUSILS FLEURIS

Si vous vous rendez à Bethléem pour Noël en dépit de la déception que je vous garantis, vous noterez que les militaires de Tsahal — l'armée israélienne — se montrent polis et accueillants envers les chrétiens sur place pour célébrer la naissance de leur messie. Afin de moins choquer la vue des pèlerins, ils ont la délicatesse d'orner leurs armes de fleurs !

10.4 Je trouvais ces pèlerins orthodoxes russes, qui semblaient constamment distraits, comme s'ils voyaient des choses mystérieuses dans le ciel, très photogéniques.

À moins d'être un haut dignitaire, faites une croix sur le projet d'assister à la messe de minuit dans la basilique de la Nativité. Elle est pleine comme un œuf d'importants personnages. La fois où j'ai eu la mauvaise idée de fêter Noël à Bethléem, Yasser Arafat était en vie. Le chef de l'Organisation de libération de la Palestine avait sa place dans la fameuse église. Il était accompagné de son épouse, une chrétienne, et de sa garde prétorienne.

Pour le grand public, sur l'esplanade de la basilique, des écrans géants transmettent la messe de Noël. La place grouille toutefois de fêtards venus d'un peu partout pour s'éclater. Figurez-vous la place Jacques-Cartier d'un temps révolu pendant la nuit folle de la Saint-Jean-Baptiste... Eh bien, c'est à peu près l'atmosphère qui règne, la nuit de Noël, à Bethléem !

UNE AUGUSTE ÉGLISE

Le jour, avec une foule d'autres touristes, vous pouvez visiter la basilique de la Nativité, qui date d'environ mille sept cents ans. Selon la tradition, cette église, l'une des plus vieilles du monde, abrite la grotte où se trouvait la crèche originelle — celle que nos crèches imitent sous nos sapins de Noël. L'empereur Constantin fit ériger cette église après que Rome, sous sa gouverne, eut fait du christianisme sa religion officielle.

C'est la mère de l'empereur qui décida, au IVe siècle, que cette grotte était bien celle où Marie déposa le petit Jésus dans une mangeoire, celle où les Rois mages apportèrent leurs cadeaux. Il est permis de douter de l'indication fournie par la mère de Constantin, trois siècles après la naissance de Jésus, puisque la région comporte beaucoup, beaucoup d'autres grottes.

11 L'ÉTHIOPIE

LES PREMIERS CHRÉTIENS ÉTHIOPIENS

L'Éthiopie est l'un des pays les plus religieux et les plus pauvres de la Terre, tout en se targuant d'avoir les plus belles femmes de l'Afrique. Les Éthiopiens descendent des Nubiens.

Environ 78 millions de ses habitants sont des chrétiens orthodoxes ou coptes; le reste, soit approximativement 40 % de la population, est musulman. Il faut voir cette église cruciforme de Saint-Georges construite dans le sol pendant le règne de la cité monastique de Lalibela, il y a huit siècles. Elle mesure douze mètres de haut, et on a mis vingt-quatre ans à l'extraire grâce au travail inlassable de ses pieux ciseleurs.

11.1 et 11.2 Un chef-d'œuvre mondial de l'architecture religieuse : cette église Saint-Georges a été extraite du roc à coups de pic pendant un quart de siècle de travail collectif.

Quant à la ville de Gondar, elle est réputée pour la ferveur religieuse de ses habitants habillés en blanc, symbole de pureté. Nous sommes ici chez les Amharas. Il fallait voir les centaines de fidèles massés devant la porte de l'église et harangués par un grand prêtre drapé d'un somptueux vêtement brodé de fil d'or. Et dans une banlieue de Gondar, croyez-le ou non, on trouve encore des Juifs falachas, ces Noirs qui conservent (disent-ils) les Tables de la Loi et qui parlent une langue dérivée de l'araméen, langue du Christ.

Nul doute, l'Éthiopie est le pays de la reine de Saba qui, avec son fils Mélénik qu'elle eut avec le roi Salomon, fut à l'origine de la dynastie salomonique. On dit aussi que c'est à Axoum que se retrouve la véritable Arche d'Alliance, comme on soutient que le tombeau d'Adam se trouve à Lalibela. Voilà tout un cocktail de religions dans cette contrée où, par ailleurs, on a retrouvé les vestiges humains les plus anciens, ceux de la fameuse Lucy.

11.3 Ce prêtre orthodoxe magnifiquement vêtu bénissait une fidèle. À Gondar, cité réputée pour sa ferveur religieuse, les Amharas vont à l'église vêtus de coton blanc, symbole de pureté.

11.4 Près de cette vieille dame (sans doute encore jeune en réalité, mais vieillie prématurément par la dureté de la vie), le champ tout vert, c'est la piste de l'aéroport… rudimentaire à souhait. Dès qu'un avion arrive, les mendiants affluent de partout. On sort de l'avion et on se retrouve entouré d'un troupeau de bœufs.

L'ÉTHIOPIE DE RIMBAUD

Vanter la beauté des femmes éthiopiennes va presque de soi. Descendantes des Nubiens réputés pour leur beauté, les Éthiopiennes ont depuis l'Antiquité la réputation d'être les femmes les plus désirables du continent africain. Ce statut leur a valu beaucoup d'ennuis, hélas ! parce que les esclavagistes, ces marchands de chair, y trouvaient leur compte.

Au XIXe siècle, les Éthiopiens aimaient les Français (*faranji*) et détestaient les Russes (*rouskis*). Le poète Arthur Rimbaud a fini sa vie en Éthiopie pour fuir la civilisation européenne. Il est peut-être le seul grand poète de l'humanité à avoir renoncé à l'Art pour s'adonner au trafic d'armes et vivre en polygame dans le désert... le garnement !

La nuit dans la région de Harrar est assourdissante. Les chiens y font un tapage de centaines de jappements et de hurlements en échos. On raconte que Rimbaud utilisait ses armes pour abattre un maximum de ces pauvres bêtes qui gâchaient son sommeil.

11.5 Ces deux jeunes filles ont un sens de l'esthétisme coloré. Cette photo a été prise le jour du Noël copte, le 6 janvier 2007. Ici, les seins nus sont la norme et ne choquent personne.

11.6 À Jinka, les femmes Mursi, dont on entend parler dans les documentaires, portent incrustés dans la peau de la lèvre inférieure des disques d'argile. Le diamètre du disque révèle l'importance de la dot que le père offrira à celui qui épousera sa fille. Des volontaires ?

11.7 Ces membres de la tribu des Hamers transportent du foin pour approvisionner les fermettes des environs.

Parce qu'on est ici dans le tiers-monde, les tentatives de plaire aux touristes sont rarement réussies. Un homme d'affaires indien me présente une grande maison comme ayant été celle de Rimbaud, mais c'est une arnaque. La maison en question, somme toute un petit musée très intéressant, a été construite une décennie après la mort du poète !

Est-ce que je vous recommande de visiter ce pays ? Ce n'est pas un voyage de tout repos. La chaleur est accablante. Les moustiques y sont aussi voraces que nombreux et les maladies, comme le paludisme, nous obligent à nous faire inoculer un cocktail de vaccins.

LE PAYS DE LA FAIM

Jamais je n'ai vu autant de « quêteux » qu'en Éthiopie. Du matin au soir, absolument partout où l'on va, on a droit à des mains tendues suppliantes. Le fléau, ici, c'est la faim. Un touriste bedonnant qui voyageait avec moi dans le centre-ville d'Addis-Abeba — qui veut dire « nouvelle fleur » — abasourdissait les enfants qui voulaient toucher son ventre rond.

La scène avait quelque chose de symbolique : l'obésité du « gras dur » nord-américain et l'extrême maigreur des enfants affamés qui s'amusaient de ce bedon qui leur rappelait peut-être celui d'une femme enceinte. Quand j'ai donné une cuisse de poulet à deux petits enfants au ventre déformé, leur père est intervenu brusquement pour balancer leur assiette par terre. Était-ce par fierté qu'il refusait que ses enfants mangent ce que je venais de donner ? Je ne le saurai jamais.

12 VIEILLESSE PHOTOGÉNIQUE

Ce n'est pas tout d'aller visiter les pays pour les monuments, les lieux enchanteurs ou les animaux, il faut aussi s'attarder aux visages des gens, dans lesquels on découvre la douleur, la joie de vivre, la culture et la géographie. Le passage du temps imprime sa marque de manière fort différente selon que l'on vit au soleil, au froid ou sous des cieux gris.

Alors que dans mes jeunes années je me concentrais surtout sur les belles personnes que je voyais et dont la beauté me plaisait, j'ai finalement compris, comme photographe, que ce sont les visages les plus marqués par la vie qui sont les plus photogéniques.

Si l'art de la photographie, c'est souvent de voir et de montrer ce que les autres ne verraient pas autrement, c'est en pointant sa lentille sur ce qui est moins évidemment beau que l'on a parfois de belles surprises, au risque de se faire rabrouer !

Il est évident qu'à Montréal, Buenos Aires, Barcelone ou Addis-Abeba, les jeunes gens se ressemblent passablement. Mais lorsque votre appareil se braque sur leurs grands-parents, c'est là que l'on voit leur « bilan de vie ». L'ethnicité s'accuse avec l'âge. Un vieil Inca a davantage l'air inca, par exemple, qu'un jeune homme de la même tribu.

Je précise une chose : l'âge du visage n'est pas qu'une question d'années puisque certaines existences brutales sculptent les faciès avec férocité. Il est si triste de voir des enfants au visage de vieux dans les pays pauvres.

12.1 Le descendant d'Incas avait une forte propension à la baboune... et n'a pas du tout aimé que je le photographie !

12.2 Ce vieux monsieur de Quito, que je surnomme l'homme sans yeux, se moquait des policiers antiémeutes – qui pourtant ne portaient pas de pantalons de clowns comme chez nous !

12.3 Ce vieux Chilien a du bagout, n'est-ce pas ?

12.4 Cette vieille dame m'a frappé par le bon goût de sa tenue, fidèle à ses racines incas, malgré sa relative pauvreté. Une belle leçon de mode pour nous.

12.5 Ce vieil Arménien qui a la cigarette au bec transpire le bonheur ! Je ne saurai jamais pourquoi il était si heureux, mais je garde précieusement la photo de son sourire.

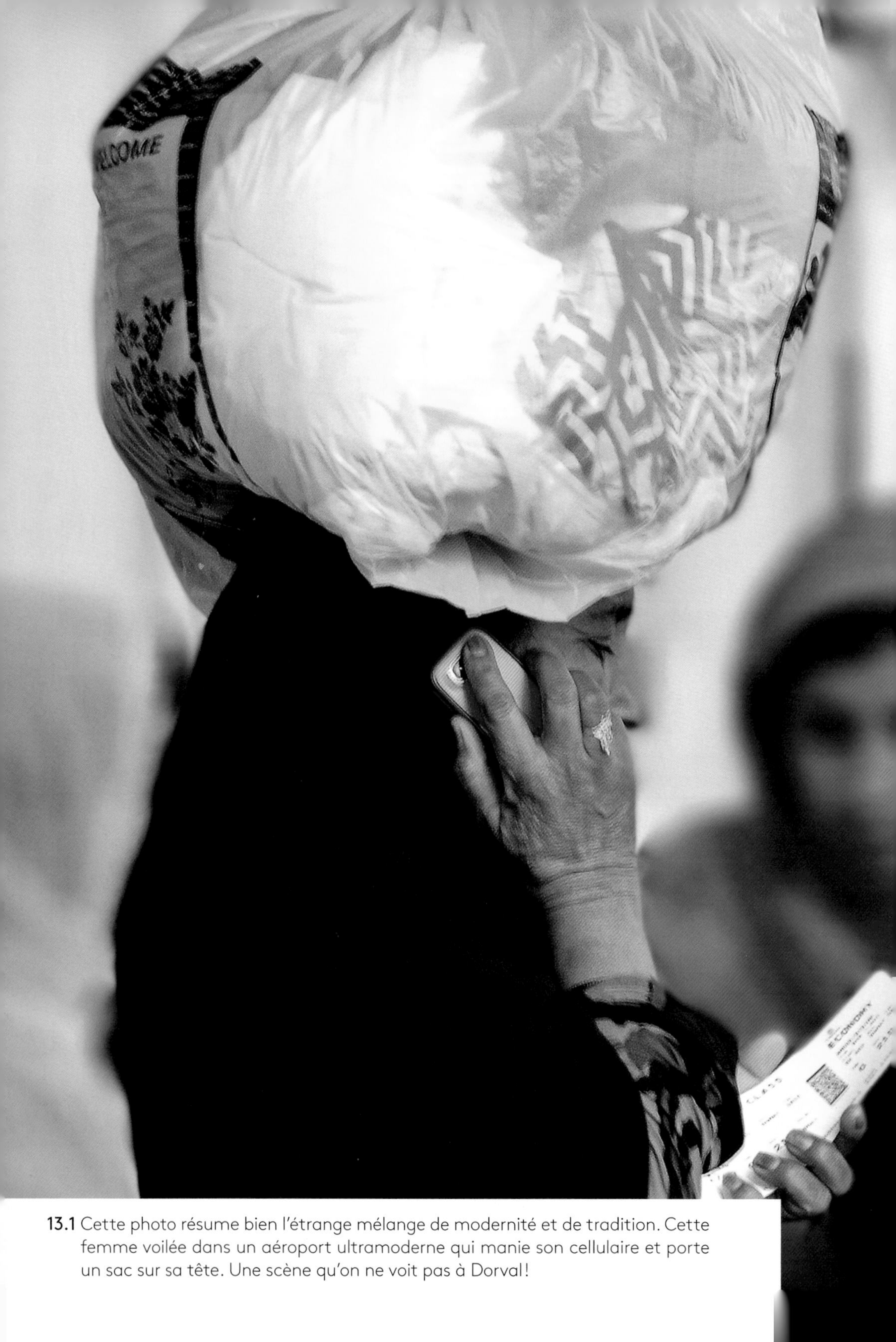

13.1 Cette photo résume bien l’étrange mélange de modernité et de tradition. Cette femme voilée dans un aéroport ultramoderne qui manie son cellulaire et porte un sac sur sa tête. Une scène qu’on ne voit pas à Dorval !

13 DUBAÏ

UNE VILLE GIGANTESQUE AU MILIEU DE NULLE PART

En pleine nuit, vue de l'avion, Dubaï ressemble à un grand rectangle lumineux au milieu de nulle part.

Sous le soleil, les édifices aux teintes vertes ou bleues de cette cité-État des Émirats arabes unis sont gigantesques et extravagants.

Tout respire l'opulence, tout est propre et flambant neuf.

La pauvreté ? Connaît pas ! Du moins, en apparence.

Ici, dans les mosquées blanches et immaculées, on doit moins prier pour les miséreux que pour conserver ses richesses...

La magnifique tour de 163 étages appelée Burj Khalifa est la plus haute du monde avec ses 828 mètres, mais elle ne rivalise pas avec la tour Eiffel, qui attire à elle seule sept millions de visiteurs par an. Et les Chinois érigent en ce moment une tour encore plus élevée.

13.2 Silhouette dans le sable. Incroyable de penser que cette ville gigantesque, qui n'a pas encore 50 ans, a surgi du désert.

13.3 et 13.4 Le célèbre hôtel Burj Khalifa, l'un des plus chers au monde, n'est pas accessible au commun des mortels. On m'a même empêché de m'en approcher. J'ai dû me contenter de photos prises de loin.

Vue du haut du Burj Khalifa, la ville impressionne. Hyperactive et mégalomane en 2002 quand j'y suis allé pour la première fois, Dubaï se ressentait durement de la crise financière en 2011 quand j'y suis retourné.

Cette ville incroyable n'a été fondée qu'en 1972. Sa croissance dopée par les milliards de pétrodollars l'a imposée comme l'une des plus modernes au monde. Consciente que ses réserves de pétrole baissent, Dubaï tente de diversifier ses activités et d'attirer des touristes : safaris-désert, courses de dromadaires, et zone franche de charia, pour permettre l'alcool et le jeu. Le hic, c'est que certains hôtels exigent de 5 000 $ à 10 000 $ par nuitée. De quoi se sentir pauvre.

13.5 L'uniforme élégant des hôtesses d'Emirates Air.

Les femmes de Dubaï pour la plupart ne se masquent pas le visage et aiment les habits colorés. L'uniforme d'Emirates Air se démarque par sa sobriété classique et son sens du compromis entre l'habit traditionnel des hôtesses de l'air et le style arabisant. On est loin des employées d'Iran Air toutes drapées de noir, islamisme oblige. Vraiment, Dubaï est un étrange compromis entre l'islamisme des gens du désert et la modernité occidentale la plus échevelée.